Gebrauchsanweisung
für Berlin

Jakob Hein

Gebrauchsanweisung für Berlin

Piper München Zürich

Mehr über unsere Autoren und Bücher:
www.piper.de

ISBN 978-3-492-27555-2
5. Auflage 2008
© 2006 Piper Verlag GmbH, München
Gesamtherstellung: CPI – Clausen & Bosse, Leck
Printed in Germany

Meinen drei Lieblingsberlinern

Inhalt

Notwendige Geständnisse.
Statt eines Vorworts

Eine Gebrauchsanweisung für Berlin – was für ein ungeheures Unterfangen. Von Anfang an dazu verurteilt, möchte ich schon vorsorglich mein Scheitern angesichts der Dimension der Aufgabe erklären.

Zunächst: Was habe ich überhaupt zu diesem Thema zu sagen? Schließlich bin ich kein Berliner. Sicher, ich gebe mich im Ausland als Berliner aus. Ob es nun in Tallinn, Milwaukee oder Potsdam ist, die Anfrage nach meiner Herkunft beantworte ich stets ohne Wimpernzucken mit: »Berlin«. Nach einem Wimpernzucken würde ich mich im Ausland sogar zu der Behauptung versteigen, ein Berliner zu sein. Im Stadtgebiet selbst habe ich gelernt, wesentlich zurückhaltender zu sein und absolut niemals, unter keinen Umständen, zu behaupten, ein Berliner zu sein.

Schon meine Eltern sind keine echten Berliner, es geht sogar so weit, daß mein Vater hochdeutsch spricht. Ich hätte eine echte Chance gehabt, da sich meine

Eltern in Berlin kennengelernt hatten. Unglücklicherweise gingen sie dann nach Leipzig, um zu studieren. Die Studienmöglichkeiten sollen dort damals sehr gut gewesen sein, sagten sie. Spätestens hier offenbarte sich ihr mangelhafter Lokalpatriotismus. Ein echter Berliner würde niemals irgend etwas in Leipzig sehr gut finden. Akzeptabel vielleicht, einigermaßen passabel, aber nicht sehr gut. Meine Eltern nahmen sogar in Kauf, daß mein in Leipzig geborener Bruder im Kindergarten Sächsisch lernte. Man kann daran ablesen, wie egoistisch sie ihre Ziele über das Wohl ihrer Kinder stellten. Schließlich ging mein Vater zurück nach Berlin, mein Bruder war gerade vier Jahre alt geworden. Nun sah es doch eigentlich gut aus für das zweite Kind, das sie sich wünschten. Aber nein, meine Frau Mutter mußte nach dem erfolgreichen Abschluß ihres Studiums ja auch noch promovieren.

So kam es, wie es kommen mußte: Ich wurde im Oktober 1971 in Leipzig geboren. Es wäre ja nichts dagegen einzuwenden gewesen, wenn das Schicksal für mich das Leben eines Leipziger Jungen vorgesehen hätte. Doch nur ein paar Monate nach meiner Geburt zog meine Mutter mit uns zurück nach Berlin. Das war der Ausgangspunkt aller Probleme. Denn ein bißchen ist es mit Berlin wie mit den USA: Wer auf dem Staatsgebiet geboren ist, hat automatisch Mitbürgerstatus. Alle anderen haben ein Problem. In meinem Kindergarten in Berlin-Treptow ließ man mich glücklicherweise noch in Ruhe, im Gegensatz zu meinem Bruder, der von den anderen Kindern Kekse und Lutscher dafür angeboten bekam, doch mal irgend etwas zu sagen, weil es so lustig klang, wenn er sprach. Wahrscheinlich schwor er deshalb damals der verbalen Kommunikation für immer ab. Er ist heute Mathematiker.

Kindergartenkinder leben nicht in irgendeiner Stadt, sondern im Moment. Aber sobald meine Mitschüler in der Grundschule verstanden hatten, was ein Geburtsort ist, begannen die peinlichen Befragungen. Besonders die Mitschüler, die sonst überhaupt nichts vorzuweisen hatten, sonnten sich jetzt in ihrem Stolz, durch Geburtsrecht echte Berliner zu sein. Und das mit großem Erfolg: Meine gute Zensur in Mathe war doch sicherlich nur der hoffnungslose Versuch einer Überkompensation meiner Schande. Was blieb mir als Sachse anderes übrig, als mich durch gute Leistungen anzubiedern, in der Hoffnung, daß vielleicht einmal meine Kinder, oder doch wenigstens deren Kinder, dazugehören würden. Daß ich unsportlich war, erschwerte das Problem noch, steht aber auf einem anderen Blatt.

Ich haderte ernsthaft mit diesem Schicksal. Noch schlimmer wurde es, als wir endlich die begehrten Personalausweise bekamen. Wurde bei den anderen über das Paßfoto gelacht, war es bei mir immer der Geburtsort. Dabei wollte ich komischerweise nie woanders geboren sein. Es gab kein Krankenhaus in Berlin, in dessen Kreißsaal ich meine Geburt hineinwünschte. Schließlich war meine Geburt in Leipzig vonstatten gegangen, und wenn meine Mutter jemanden in Berlin geboren hätte, dann sicher nicht mich. Ich wünschte mir nur einen lockereren Umgang meiner Kameraden mit diesem Umstand. Das änderte sich erst, als der Sex plötzlich als mächtiges Thema in unser Leben trat. Dennoch: Für eine kleine Frotzelei auf einer Party war mein Geburtsort noch immer gut genug.

Erst nachdem ich einige Zeit in den USA gelebt hatte, wo ich Menschen traf, deren Vater in Indien und deren Mutter in Wisconsin geboren waren, gewann ich etwas Souveränität im Umgang mit diesem Thema. Und wenn mich heute jemand fragt, woher ich komme, erzähle ich ihm entweder eine verkürzte Version des Obenstehenden, oder ich sage: »Berlin.«

Aber wissen Sie was? Gerade auf Grund dieser Geschichte halte ich mich für einen nicht einmal so ungeeigneten Berichterstatter. Denn es ist sowieso unmöglich, ein Buch über Berlin zu schreiben, mit dem auch nur eine kleinere Gruppe von Berlinern zufrieden wäre. Deswegen ist die Lokalliteratur weitgehend nach Stadtbezirken geordnet. Es gibt Bücher über Pankower Ärzte, Weddinger Gaststätten und Köpenicker Seen. Immerhin leiste ich einen wichtigen Beitrag zur Stärkung der innerstädtischen Verbundenheit: Bei mir werden sich ohnehin alle einig sein, daß ich vollkommen unrecht habe, schließlich bin ich ja Sachse.

Also sparen Sie sich bitte die erbitterten Leserbriefe und Anrufe. Ich gebe allen recht, ich habe unrecht. Ein besonders grimmiger Kneipenbesucher sagte mir sogar einmal, daß man auch meiner Sprache noch meinen Geburtsort anhören würde. Das würde zwar bedeuten, daß ich in meinen ersten sechs Lebensmonaten nicht nur das Sprechen erlernt haben müßte, sondern auch noch einen Dialekt unverrückbar angenommen habe, den dreißig Jahre in einem anderen Sprachgebiet nicht mehr überformen konnten. Die Annahme, ich hätte so früh und so vollendet sprechen gelernt, würde zwar einiges in meiner Biographie erklären, trotzdem aber halte ich diese Annahme für wenig wahrscheinlich.

Schließlich ist es so: Ein echter Berliner würde sich doch niemals dazu herablassen, einem anderen etwas über Berlin zu erzählen. Wozu auch? Der echte Berliner ist wie ein glücklich Verliebter, er ruht vollkommen in sich, seine Welt ist abgeschlossen, das Leben in Ordnung. Überlegen Sie selbst: Wie viele Romane gibt es über glücklich Verliebte? Der Berliner hat kein Bedürfnis, irgend jemandem etwas über seine Stadt zu erzählen. Was soll es groß zu sagen geben? Berlin ist die beste Stadt der Welt, wer was anderes behauptet, bekommt Schläge.*

Da muß schon so ein halbseidener Sachse kommen, der sich selbst beweisen möchte, irgend etwas mit Berlin zu tun zu haben – verzweifelte Wischversuche an einem riesengroßen Schandfleck. Zwar wird ihm das in der Stadt keiner abnehmen, aber den Versuch ist es wert.

* Frank Steffel, einem Berliner Teppichhändler, ist es 2001 tatsächlich gelungen, während eines der legendär glücklosesten Wahlkämpfe für das Amt des Regierenden Bürgermeisters von Berlin ausgerechnet München als »die schönste Stadt Deutschlands« zu bezeichnen. Er hätte seinem Gegenkandidaten kein schöneres Geschenk machen können, die Berliner konnten ihm diesen Satz niemals verzeihen. Nachdem er die Wahl mit Pauken und Trompeten verloren hatte, sprühte jemand am nächsten Morgen auf eines der großen Wahlkampfplakate mit seinem Konterfei: »Frank Steffel – bin wieder Teppich-Laden.«

Kommse rin,
könnse rauskiekn!

Berlin – wie auch immer man sich dieser Stadt nähert,
wenn man es mit offenen Augen tut, wird man sofort
etwas sehr Geheimnisvolles und Wichtiges bemerken.
Denn egal, ob man mit dem Flugzeug auf einem der
drei Flughäfen einfliegt, mit der Bahn auf einem der
etlichen Fern- und Regionalbahnhöfe* eintrifft, oder
mit dem Auto nach Überqueren der Stadtgrenze bis zu
seinem Ziel noch etwa eine Stunde auf der Stadtauto-
bahn unterwegs ist und plötzlich vor der Entscheidung
steht, ob man abbiegen soll zu »Berlin-Zentrum (Zoo)«
oder weiter geradeaus fahren muß in Richtung »Berlin-
Zentrum (Alexanderplatz)«, dieses Geheimnis wird
mehr als offensichtlich: *Die* Stadt Berlin gibt es nicht.

* Alexanderplatz, Charlottenburg, Friedrichstraße, Lichtenberg,
Ostbahnhof, Schöneweide, Spandau, Wannsee, Zoologischer Garten
sowie der neue Hauptbahnhof (der von den Berlinern hartnäckig
»Lehrter Stadtbahnhof« genannt wird uvm.).

Das sollte einen aber nicht etwa dazu veranlassen, nun auf dem Absatz kehrtzumachen, den langen Weg nach Hause anzutreten, um dort das Reisebüro auf Schadensersatz zu verklagen. Denn natürlich gibt es so etwas wie Berlin, aber das Ganze ist nicht *eine* Stadt, sondern ganz viele Städte. Dieses Leitmotiv wurde schon bei der Stadtgründung eingeführt.

Die Siedlung an der Spree wurde um 1230 von Anfang an als Doppelstadt Berlin-Cölln in den märkischen Boden gesetzt. Obwohl beide Städte von einer gemeinsamen Stadtmauer umgeben waren, hieß die Siedlung um das Nikolaiviertel nördlich der Spree Berlin, die Siedlung um den Molkenmarkt und die Fischerinsel nannte man Cölln.

Während der letztere Name wohl am ehesten auf Sentimentalität der Bewohner zu ihrer alten Heimat am Rhein zurückzuführen ist, gibt es keine schlüssige Erklärung für den Namen Berlin. Da die Stadt ins Sumpfland gesetzt wurde, vermutet man, daß die slawische Bezeichnung *barl* (Sumpf) den Wortkern bildet. Die Berliner lösten das Problem auf typisch pragmatische Weise: Sie wählten ab 1280 kurzerhand den Bären als ihr Wappentier und hatten fortan eine gute Erklärung für den Namen und einen guten Widerpart zum Cöllner Adler.

Mit dem Wachstum der Stadt wurden nach und nach auch die Siedlungen jenseits der Stadtmauer mit in das entstehende Gebilde Berlin einbezogen. Dennoch führte das nie dazu, daß diese neu eingemeindeten Orte ihre Eigenständigkeit völlig aufgaben. Ganz im Gegenteil: Bis heute gibt es eine Spandauer und eine Köpenicker Altstadt. Das Leben Neuköllns spielt sich rund um den Hermannplatz ab, der wichtigste Weißenseer Bezugspunkt ist der Antonplatz. Jeder Stadtteil hat sein eigenes Fest, seine eigenen Sehenswürdigkeiten und sogar so etwas wie eine eigene Mentalität. Daher gibt es in Berlin mehr als acht »Berliner Straßen« und immerhin noch drei »Königswege«. Dieser Umstand ist eine wichtige Einnahmequelle für die Berliner Taxifahrer. Setzt sich der erkennbar Ortsfremde ins Taxi und wünscht, in die Fontanestraße gefahren zu werden, wird der geschäftstüchtige Taxifahrer diejenige der sechs Berliner Fontanestraßen ansteuern, die am weitesten von seinem aktuellen Standort entfernt ist.

Zwischen vielen Bezirken, also mitten in der Stadt, gibt es sogar so etwas wie Stadtränder. Hier finden sich Kleingartensiedlungen und große Einkaufszentren mit Parkplätzen, so daß man meinen könnte, die Stadt schon verlassen zu haben, bis dann plötzlich der nächste Bezirk folgt.

Genaugenommen zerfallen die einzelnen Bezirke noch in kleine Viertel, die sich meist um einen zentralen Platz oder die wichtigste Straße gruppieren. »Kiez!« werden Sie jetzt vielleicht ausrufen. »In Berlin heißt so was doch Kiez.« Ja, früher konnte man ohne schlechtes Gewissen »Kiez« zu den Wohnvierteln sagen. Aber mittlerweile ist dieser Begriff so von Werbeleuten, Politikern und anderen Sprachzerstörern vereinnahmt worden, daß man als Berliner schon keine Lust mehr hat, den Begriff überhaupt noch zu benutzen. Was früher einfach nur »mein Viertel« hieß, ist heute auf Dutzenden Wahlplakaten, Werbesendungen und Bürgeransprachen verkommen. Wer »Kiez« sagt, meint heute häufig: »Hallo, wir kommen zwar mit einem schicken Auto und fahren damit nachher wieder zu unseren Villen nach Schmargendorf oder doch gleich nach Westdeutschland nach Hause, aber jetzt machen wir mal einen auf Volksnähe, um euch primitiven Eingeborenen irgendwelche Glasperlen zu verkaufen.« Kiezkultur, Kiezbüro, Kiezberatung, so klingt das aus den Mündern der Politiker. Kiez! Kiez! Kiez! Schade um den »Kiez«, war eigentlich mal ein schöner Begriff.

Natürlich müssen alle Berliner zähneknirschend zugeben, daß sich die größten Sehenswürdigkeiten der Stadt und die meisten Touristen in dem Bezirk finden, der heute Mitte heißt und der das gesamte Gebiet der alten Doppelstadt Berlin-Cölln und noch etwas mehr umschließt. Hier führt »Unter den Linden« auf das Brandenburger Tor zu, hier stehen Fernsehturm, Bode-, Pergamon- und Altes Museum, zwei Opern, Deutsches Theater und Berliner Ensemble. Dennoch wird der Steglitzer trotzig und mit Recht ausrufen: »Aber bei uns ist es auch schön!«

Die Stadt Berlin ist mithin ein Mikromodell des Föderalismus; wer wissen will, wie das geht, daß Türken, Westafrikaner, Ostasiaten und sogar West- und Ostdeutsche gemeinsam auf einem Gebiet leben, der sollte diese Stadt studieren. Wer sich ihr nähern will, tut das am besten, indem er von außen nach innen vorgeht, vom Stadtrand zur Mitte.

Berlin ist umgeben von einer homogenen Zone von Reihenhaussiedlungen, dem sogenannten Speckgürtel, der auf brandenburgischem Hoheitsgebiet steht. In den Reihenhäusern wohnen Berliner, die der Strahlkraft der Wüstenrot-Sonne gefolgt sind. Sie arbeiten in der Regel weiterhin in der Stadt und nehmen an Diskussionen gern in der Rolle von Berlinern teil, immer in der Hoffnung, nicht als Brandenburger Pendler erkannt zu werden.

Der Übergang in das Berliner Stadtgebiet vollzieht sich schleichend. Denn die peripheren Bezirke der Stadt sehen sich als eigenständige Verwaltungseinheiten an. Ob es die Köpenicker, die Spandauer oder die Reinikkendorfer sind, sie haben ihre eigene Zeitung, sie haben ihre eigenen Läden, und wenn sie einmal im Jahr mit dem Bus nach Mitte fahren, rüsten sie sich wie für eine Reise und sagen: »Ich fahre heute in die Stadt.«

Weiter ins Zentrum hineingefahren, trifft man auf eine Zahl von Bezirken, die sich allesamt als das *eigentliche* Zentrum Berlins sehen. Im gutbürgerlichen Westen sind das Steglitz, Tiergarten und Charlottenburg. Hier hat man die Wende und den Fall der Mauer mit Bedauern zur Kenntnis genommen und hofft noch immer darauf, daß es sich um eine vorübergehende Mode handelt, ähnlich wie Schlaghosen. Das mentale Zentrum trägt seinen Namen »Kaufhaus des Westens« seit 1989 mit besonders trotzigem Stolz.

Neukölln und Wedding sind zwei Bezirke, in denen sich eine deutsche Minderheit von beachtlicher Größe in einem ansonsten sehr orientalisch geprägten Umfeld wohl fühlt. Beides waren Arbeiterbezirke, deren ursprüngliche Funktion verlorengegangen ist. Die ehemaligen Arbeiter sind jetzt vor allem Arbeitslose, und die wichtigsten Unternehmer der Gegend verkaufen Döner, Mobiltelefone oder den Traum vom schnellen Glück. Man bekommt hier jederzeit Pide, Hummus und Sesamöl, könnte aber Schwierigkeiten haben, wenn man eine Bockwurst kaufen will. Die Grundschulen in Wedding und Neukölln können das Konzept einer Europaschule nur als kleinkariert verlachen. In einer Weddinger Klasse finden sich häufig genauso viele Nationen und Muttersprachen wie Schüler, und etwas Deutsch spricht häufig nur der Lehrer.

Besucher aus anderen Stadtbezirken wie Charlottenburg oder Hohenschönhausen schauen erstaunt auf die fremdländischen Namen und Geschäfte. Deshalb bilden sich manche Jugendliche in Neukölln und im Wedding ein, in einem Ghetto zu leben, und singen schaurige Lieder von ihrem Gangsterleben. In echten Ghettos würden es diese Gangster aus Neukölln wohl keine vier Minuten lang aushalten.*

Aber auch die Fernsehsender glauben ihnen ihre vorpubertären Räuberpistolen und schicken regelmäßig Filmteams dorthin, um *den* sozialen Brennpunkt Deutschlands zu filmen. Meistens aber passiert absolut nichts Aufregendes, so daß die Kameraleute ihre Kameras schräg und wacklig halten müssen, damit die Aufnahmen von einkaufenden Rentnern und Spaziergängerinnen mit Kinderwagen wenigstens ein bißchen aufregend aussehen.

Am Ostrand wollen die Bezirke Marzahn und Hellersdorf möglichst nichts von Ghetto hören. Die Architektur wirkt auf Außenstehende beeindruckend: Ein großes Betonquadrat schließt sich an das nächste große Betonquadrat an. Diese großen Betonquadrate bestehen

---

* Sogar der Bundesinnenminister ließ sich zu der Aussage hinreißen, daß Neukölln einem Slum wie der Bronx ähneln würde. Daraus kann man ablesen, daß er mindestens einen der beiden Orte absolut nicht kennt.

wiederum aus kleineren Betonquadraten, die ihrerseits aus Betonquadraten zusammengesetzt sind. Darin wohnen Menschen. Alle Haustüren öffnen sich in riesige Innenhöfe, in deren Mitte sich meist ein Spielplatz befindet. Es gab das Gerücht, daß die DDR solche Siedlungen baute, weil sie dort mit Hilfe von zwei Panzern problemlos zwei Dutzend Mietshäuser militärisch kontrollieren konnte. Denn spätestens seit den Erfahrungen des 17. Juni 1953 gab es ein tiefes Mißtrauen der ostdeutschen Regierung gegen ihre eigene Bevölkerung.

Wer aber dachte, daß nach der Wende alle aus den Wohnsilos wegziehen würden, hatte sich getäuscht. Zwar vollzieht sich ein langsamer Wandel der Einwohnerstruktur, und es wird allmählich ein Westberliner Ausländeranteil in diesen Wohngebieten erreicht, aber deswegen ziehen noch lange nicht alle aus. Im Gegenteil, zum zwanzigjährigen Jubiläum des Stadtbezirks Marzahn erschienen Liebesgedichte der Einwohner unter dem Titel: »Mein Kästchenkiez«. Die Infrastruktur dort wird durch die verbesserten Einkaufsmöglichkeiten eher angenehmer, und die Mieten bleiben konkurrenzlos niedrig. Zudem zählen die chinesischen Gärten und das dort gelegene Krankenhaus zum Besten, was Berlin zu bieten hat.

Der Nordosten von Berlin ist mit S- oder U-Bahn nur ein paar Minuten vom Stadtzentrum entfernt, leidet aber irgendwie an seiner, sagen wir mal, gefühlten Entfernung von der Innenstadt. Wer in Pankow oder Weißensee wohnt, ist irgendwie ganz weit draußen. Die Bewohner akzeptieren dieses Bild leider zunehmend selbst, und so wird man in diesen Bezirken kaum einmal etwas Exotischeres als eine Zucchini in den Gemüseläden finden und sicherlich kein Restaurant, in dem ein Hauptgericht mehr als zehn Euro kostet. Dabei sind es wunderschöne und grüne Bezirke, und ich wage, Ihnen das nahende Schicksal der im Folgenden vorgestellten Bezirke Prenzlauer Berg und Friedrichshain vorauszusagen.

Wie die Bewohner aller anderen Bezirke sind auch die vom Prenzlauer Berg und aus Friedrichshain der Überzeugung, im eigentlichen Zentrum von Berlin zu wohnen. Diese Arbeiterwohnsiedlungen für heute nicht mehr existierende Industriebetriebe waren das Marzahn der Gründerjahre. Nirgendwo in Europa gab es eine so hohe Zahl von Einwohnern pro Quadratkilometer. Das aus heutiger Sicht Gute an der ganzen Sache besteht darin, daß von der Gründerzeit bis zur Nachwendezeit kein Handwerker diese Häuser betreten hat, es sei denn, er wohnte dort. Dadurch waren die Wohnungen am Ende der DDR in einem Zustand, den nur Punks und Regimekritiker akzeptabel fanden, alle anderen ließen sich gern mit Vollkomfort in den Platten versorgen. Punks und Regimekritiker wurden nach der Wende zu Studenten und Politikern und der Prenzlauer Berg zu einem Edel-Sanierungsgebiet. Besonders der Kollwitzplatz wurde so lange hartnäckig als Geheimtip in allen Illustrierten und Reiseführern gehandelt, bis auch noch der letzte Neuankömmling dort seine Wohnung suchte. Als schließlich die Mieten so hoch kletterten, daß dort nur noch Neuankömmlinge wohnen konnten, wanderte der Geheimtip-Pokal in den benachbarten Friedrichshain, wohin dann die Studenten zogen. Hier gab es viele leerstehende Wohnungen mit Ofenheizung und Außentoilette, die niemand sonst haben wollte. Aber inzwischen sind die Studenten dort auch schon Akademiker, die Häuser können *noch* moderner saniert werden als im fünfzehn Jahre alten Prenzlauer Berg, und es ist eine Frage der Zeit, bis nur noch Zugezogene im Friedrichshain wohnen.

Die Bewohner von Mitte gibt es praktisch nicht. Von hundert Menschen, die sich in Mitte aufhalten, sitzen fünfundzwanzig an einem Schreibtisch, zehn liegen in einem Hotelbett, zweiundzwanzig kaufen ein, achtzehn sitzen in einer Cocktailbar, acht stehen auf einem Bahnhof, und sieben sitzen in einem Theater oder Kino. Die restlichen zehn schweigen und halten still, denn wenn ein Vermieter entdeckt, daß in so einer Lage noch normale Mieter wohnen, wird er sofort etwas dagegen unternehmen. Der Vorteil daran ist, daß die Besucher der Stadt die Mitte Berlins ganz für sich allein haben, mit all ihren Museen, Kirchen, Opern und Geschäften. Welche andere Stadt kann das schon bieten?

Es gibt übrigens keinen Grund, sich in Berlin als Tourist zu verstecken. Wenn Sie einer sind, freuen Sie sich einfach darüber, daß Sie hier sind, und die Berliner sollten sich mit Ihnen freuen. Die Stadt ist nämlich auf zwölf Generationen hinaus verschuldet, und wenn nicht in nächster Zeit eine Ölquelle unter dem Zoo gefunden wird oder sich unverhofft der Boden unter dem Alexanderplatz öffnet und eine Diamantenmine freigibt, sind und bleiben die Touristen der wichtigste und im wesentlichen einzige Wirtschaftsfaktor auf Jahre hinaus. Kommen Sie also gern vorbei, es gibt unendlich viel zu entdecken. Jeder Hinterhof erzählt eine Geschichte und manchmal ziemlich laut. Der Berliner Abend geht erst nachts los, dafür aber bis in den frühen

Morgen, und ein letztes Bier kann man rund um die Uhr trinken. Und lassen Sie sich nicht von den grimmigen Gesichtern abschrecken, das ist nur unser Versuch, Sie anzulächeln.

Wat wolln Sie denn hier?

Würde man einen Berliner mit der Frage überraschen, warum so viele Touristen die Stadt besuchen, wüßte er wahrscheinlich auf Anhieb keine Antwort. Unausgesprochen gehen die meisten Bewohner dieser Stadt davon aus, daß die Besucher aus den gleichen Gründen kommen wollen, weshalb den Berlinern selbst die Stadt so gut gefällt: weil man so nett mit Margitta quatschen kann, wenn man morgens mit dem Hund geht, weil man bei Fred das beste Eisbein der Welt bekommt, weil man so nett mit Edith quatschen kann, wenn man mittags mit dem Hund geht, weil endlich bald die Saison im Freibad anfängt und weil man schließlich nur hier so nett mit Birgit quatschen kann, wenn man abends mit dem Hund geht.

Daß diese Stadt vollgestopft ist mit den tollsten Sehenswürdigkeiten und daß Touristen sich so was angucken wollen, würde den meisten Berlinern erst nach angestrengtem Nachdenken einfallen. Die großartige

Architektur von Schinkel, die unzähligen Museen von der weltberühmten Museumsinsel bis zu kurioseren Museen wie dem Glühlampen- oder dem weltweit einzigen *Ramones*-Museum, die zahlreichen Gärten, die Alleen, die Türme, die Zoos und Aquarien, die Einkaufsmeilen, die Kirchen, Moscheen, Synagogen und und und. Der Berliner reagiert auf diese Fülle souverän: In der Regel besucht er keine einzige dieser Sehenswürdigkeiten oder höchstens die eine, die in seiner unmittelbaren Nähe liegt. Ein Besucher könnte am 1. Januar die Stadt besuchen und hätte selbst bei einem straffen Programm noch nicht alles gesehen, wenn man nach einem Jahr am Brandenburger Tor Silvester feierte. Hoffentlich weiß man bis dahin, warum die berühmte Quadriga oben drauf nach Osten schaut und nicht, wie es sich ja eigentlich gehören würde, aus der Stadt heraus nach Westen. Der Grund ist erschreckend einfach. Friedrich Wilhelm II., der das Brandenburger Tor in seiner derzeitigen Form bauen ließ, wollte die volle Schönheit der Quadriga bewundern. Das war aber nur möglich, wenn er morgens zum Jagen in den Tiergarten ritt, wenn er am Abend nach Hause kam, konnte er ja nichts mehr sehen. Damit er also nicht nur die Hinterteile der Siegesgöttin und ihrer Pferde sehen mußte, wies er an, die Quadriga sozusagen falsch herum aufzustellen.

Und doch kommen Menschen für ein Wochenende hierher, in der Hoffnung, alles zu sehen. Das ist zwar nicht ganz so absurd wie »Ganz Europa in vier Tagen«, das von japanischen und amerikanischen Reisebüros angeboten wird, aber vermessen ist es dennoch.

Wie soll man dieses Abenteuer also möglichst sinnvoll

anstellen? Meist werden die Besucher einer Stadt ja eingeladen, sich dem Objekt des Interesses zunächst von oben zu nähern. Nun steht der Fernsehturm mitten in Mitte, und dort gibt es eine Aussichtsplattform mit einer dazugehörigen Touristenschlange und dem dazugehörigen überhöhten Eintrittspreis sowie natürlich dem dazugehörigen Nepp; aber in Berlin probiert man, alles anders zu machen, also lassen wir die Schlange vor dem Fernsehturm stehen und nehmen gewissermaßen den Fahrstuhl nach unten. Wie keine andere Stadt eignet sich Berlin nämlich dazu, es von unten kennenzulernen.

Aus den Tagen, in denen beide deutsche Regierungen noch Geld in die Kassen der Stadt pumpten, stammt ein ausgedehntes U-Bahn-Netz. Und jede der immerhin neun U-Bahn-Linien hat einen ganz eigenen Charakter. Es ist schon ein Heidenspaß, sich eine Tageskarte zu kaufen, die billiger ist als der Eintritt zum Fernsehturm, und kreuz und quer unter Berlin herumzufahren und am besten mit verbundenen Augen herauszufinden, in welcher U-Bahn-Linie man sich gerade befindet.

Die U1 hätte eigentlich während einer der mindestens zwei Dutzend Nahverkehrsreformen seit 1989 längst die führende »1« abgeben und U2 heißen müssen. Aber wegen des international erfolgreichen Musicals über diese Strecke von Kreuzberg nach Zoo, das eben »Linie 1« hieß, hat sich diese Umbenennung keiner getraut. Die U1 riecht nach Kreuzkümmel, dessen Aroma aus den unzähligen türkischen Läden entlang der Strecke in die Waggons weht. Selbst ihr Rattern klingt nach den achtziger Jahren im Westteil der Stadt. Künstlerisch nahezu perfekt endet die U1 seit der Wende in ihrem einzigen Ostberliner Bahnhof: »Warschauer Straße«. Zwar gibt es am Schluß den Ausblick, die Perspektive, die Möglichkeit zu neuen Territorien aufzubrechen, aber das Gefühl bleibt, das Wesentliche der Strecke schon hinter sich gebracht zu haben. Das Ende der glücklichsten Westberliner Jahre mit Zonenförderung und ohne Bundeswehr ist hier von einem Genie der U-Bahn-Planung vollendet inszeniert worden.

Die U2 hingegen müßte, wie gesagt, eigentlich U1 heißen, weil sie das Flaggschiff der Stadt ist. Die U2 riecht nach dem Ketchup auf den Hamburgern, Würsten und Pommes frites der Touristen und fährt unter nahezu allen weltbekannten Sehenswürdigkeiten der Stadt hindurch: Olympiastadion, Messe, Deutsche Oper, Bahnhof Zoo, Potsdamer Platz, Friedrichstraße, Komische Oper, Staatsoper, Alexanderplatz. Sie ist dadurch dominiert von verwirrt auf die verwirrenden Netzpläne schauenden Besucher sowie Berlinern, die mit verschränkten Armen in der Ecke sitzen oder sich hinter einer Zeitung verstecken, in der Angst, als Ortskundige erkannt zu werden, denn wenn man erst mal einem Touristen eine Frage beantwortet hat, kommen sie alle angelaufen.

So könnte man über jede Linie fast einen ganzen Roman schreiben, die lange U3 (Kräuter der Provence), die die Studenten der Freien Universität vom Nollendorfplatz nach »Dahlem Dorf«, »Onkel Toms Hütte« und schließlich »Krumme Lanke« bringt, die kurze U4 (Köllnisch Wasser) mit insgesamt fünf Stationen durch Schöneberg für die Westberliner Rentner, die klassisch Ostberliner U5 (Blutwurst) vom Alexanderplatz über die Stalinallee, den Tierpark und Hellersdorf nach Hönow, die proletarische U6 (Knoblauch) von »Alt-Tegel« über »Borsigwerke« und »Wedding« nach »Alt-Mariendorf«, die verwickelte Westberliner U7 (Thymian mit Noten von Cayenne), die von Spandau durch das gute Westberlin schließlich über Kreuzberg im Neuköllner Ortsteil Rudow endet, die äußerst handfeste U8 (Cannabis) von Neukölln über Wedding und die Karl-Bonhoeffer-Nervenklinik nach Wittenau, in der man zwischen Zoo und Gesundbrunnen zwischen Nachmittag und frühem Morgen praktisch alle illegalen Rauschdrogen kaufen können soll, und die bürgerliche U9 (Koriander) vom Rathaus Steglitz über Bundesplatz, Kurfürstendamm und Westhafen. Man kann eigentlich alles über diese Stadt wissen, ohne die Untergrundbahn verlassen zu haben, und hat sogar eine Menge Sonnenlicht gesehen. Denn verwirrenderweise verkehren große Teile der Berliner U-Bahnen auf Hochbahntrassen.

Wer sich zwischendurch ein wenig die Beine vertreten möchte, steigt einfach aus. Oder noch besser, steigt um. Denn es muß gewarnt werden, daß die Fußwege zwischen zwei sich kreuzenden Linien teilweise sehr lang sein können, so lang, daß im Unerfahrenen der Verdacht aufkeimen könnte, daß die neue U-Bahn-Linie in Wirklichkeit nur ein unterirdisch ausgebauter Fußweg sein könnte. Hinter vorgehaltener Hand raunt man sich zu, daß einige, die sich in »Stadtmitte« mit unzureichendem Proviant auf die Passage von der U2 in die U6 gemacht hätten, niemals angekommen seien. Aber Genaueres wird man nie erfahren.

Auch jenseits der U-Bahn-Tunnel ist der Berliner Untergrund durchlöchert wie ein Schweizer Käse. Bunkeranlagen, Tunnel und Höhlen liegen unter der ganzen Stadt verstreut. Bloß vom legendären Führerbunker ist nichts mehr übrig außer der Bodenplatte. Gern zeigen einem die fachkundigen Herren vom Verein »Berliner Unterwelten« bei einer ihrer legendären Führungen mehr. Aber wer sich jetzt nach einem Kontrastprogramm sehnt, sollte sich an einer der zahlreichen Anlegestellen in ein Boot setzen und herumfahren lassen. Immerhin kann man dabei unter mehr als doppelt so vielen Brücken wie in Venedig hindurchfahren. Durch Berlin fließen drei größere und ein paar kleinere Flüsse, die noch durch verschiedene Kanäle miteinander verbunden sind und an deren Band sich eine Vielzahl von Seen glitzernd aufreihen. Wenn es warm ist, kann man einem perfekten Moment im Leben sehr nahe kommen, oben auf einem Dampfer durch Berlin zu schippern, besonders wenn einem das Getränk in der Hand gut schmeckt, die Mitreisenden gut gelaunt sind und die Lautsprecheranlage gnädigerweise defekt ist und einem nicht den penetranten Kommentar des humorigen Fremdenführers oder irgendwelche Unterhaltungsmusik zu Gehör bringt.

Nun hat man sich lange genug herumfahren lassen, und es ist an der Zeit, selbst ein wenig zu laufen. Man sollte sich vorher genau überlegen, wonach einem der Sinn steht, denn in dieser weitläufigen Stadt ergibt sich nur wenig zufällig. Alles ist in Hülle und Fülle möglich, aber man muß einen Plan haben. So könnte man zum Beispiel eine schöne Woche in Berlin verbringen, in der man ausschließlich die wichtigsten Friedhöfe der Stadt besucht. Dann hätte man viele berühmte Leute getroffen, viel frische Luft eingeatmet und wüßte eine Menge über die Stadt und ihre großen Menschen. Aber planen muß man. Die Museen liegen teilweise mehr als zwanzig Kilometer auseinander, die schönsten Parks sind über die ganze Stadt verstreut, die Einkaufsviertel unterscheiden sich sehr in bezug auf Geschmack einerseits und Erschwinglichkeit andererseits. Man sollte sich also über die Koordinaten seines Tages im klaren sein, die entsprechenden Haltestellen heraussuchen und einen Stadtplan einstecken. Auch wenn man sich in letzterem nicht zurechtfindet, weil das Stadtgebiet unüberschaubar groß ist, so ist doch das umständliche Entfalten des Stadtplans ein touristisches Hilfesignal, auf das der eine oder andere besser orientierte Mitbesucher einem irgendwann zur Hilfe eilen wird.

Viele Touristen wollen ja unbedingt die Berliner Mauer sehen. Eine Kuriosität: Als es die Mauer noch gab, hat sie alle gestört, jetzt, wo sie weg ist, wollen alle sie sehen. Aus purer Notwehr deklarieren viele Berliner alle möglichen Steinwände in der Stadt zur Mauer, um die Besucher zufriedenzustellen. Dann stehen die Amerikaner und bestaunen die mit Tiermotiven verzierte Mauer am Bahnhof Zoo, machen ein paar Fotos und sind zufrieden. Denn in Wirklichkeit gibt es nur noch ein ganz kleines Stück echte Mauer am Mauermuseum und einige bunte Museumsstücke hier und da. Dafür kann man sich allerorten ein Stück Mauer kaufen, meistens von in DDR-Armeeuniformen gekleideten Albanern. Viele Berliner scherzen damit, daß man aus diesen bunten Stückchen die Mauer zehnmal höher, als sie es im Original war, wieder aufbauen könnte,* wie es sich

***

* Die Idee ist alles andere als neu: Joseph Beuys hat schon 1964 ar-

heute viele zu wünschen meinen. Aber das ist Unsinn. Für die DDR-Grenzbefestigungsanlagen wurde massenhaft Beton verbaut, beim Abbau der Mauer fielen einhundertachtzigtausend Tonnen davon an, und es ist noch genug für alle da. Unwahrscheinlich ist allerdings, daß die bunten Graffitis auf den Kaufsteinen vor 1990 entstanden sind, aber ist das nicht auch im Grunde genommen egal?

Wie man den Tag auch verbracht hat, mit etwas Glück kommt man am Ende wieder erschöpft und zufrieden am Alexanderplatz an. Ein Blick verrät einem, daß die Schlange am Fernsehturm kürzer geworden ist, und dann huscht man hinein und läßt den Blick von der Aussichtsplattform über das glitzernd erleuchtete Berlin am Abend schweifen und registriert mit Stolz, welche ungeheuren Exkursionen durch das einem zu Füßen liegende Stadtgebiet man an diesem Tag geschafft hat.

Wenn man jetzt nicht mehr laufen kann, sollte man den Berliner Weg zur Erkundung der Welt gehen. Man fährt ein paar Minuten in irgendeine Himmelsrichtung vom Alexanderplatz weg, setzt sich dann in eine ausreichend gemütlich erscheinende Kneipe, bestellt ein Bier. Schnell wird man in ein Gespräch mit einem Berliner verwickelt sein, der noch niemals an all den fernen Orten war, die der Besucher heute besichtigt hat. Beeindruckt wird er den Schilderungen der exotischen anderen Stadtbezirke lauschen, um dann von den Neuigkeiten seines Viertels zu berichten. Vielleicht hat ein Laden

chitektonisch wohlbegründet vorgeschlagen, die Mauer aus ästhetischen Gründen fünf Zentimeter zu erhöhen, und für diese Provokation viel Prügel bezogen.

zugemacht oder eine neue Ampelanlage ist installiert worden. Und außerdem soll Katja am Nachbartisch mit ihrem alten Freund Schluß gemacht haben, weil der ihr zu esoterisch war. Nach einer Zeit setzt sich vielleicht ein Herr im feinen Anzug mit an den Tisch, der gerade von einer Theaterpremiere kommt, ein kleines Bier bestellt und das Stück schrecklich fand. Noch ein Weilchen später kommt der Zeitungshändler und bietet Ihnen die Zeitung von morgen an (»Lesen Sie schon heute, was übermorgen bereits von gestern ist«). Am Gesicht des Bundestagsabgeordneten, der drüben mit unglücklichem Gesicht sein Essen in sich hineinschaufelt, können Sie erahnen, daß neue Probleme im Anmarsch sind. Aber sie alle lassen sich gern ablenken von dem russischen Opernsänger, der spät in der Nacht italienische Klassiker zum Besten gibt und anschließend mit dem Hut herumgeht. Kurzum, man setzt sich hin und wartet darauf, daß die Welt an einem vorbeirotiert. Und das kann funktionieren, spätestens nach dem achten großen Bier.

Wer und was hier wohnt

Wozu überhaupt gibt es Städte? Keine Angst, das ist jetzt nicht der Augenblick, an unserer Mission zu zweifeln, aber es ist Zeit, darüber nachzudenken, warum Menschen in Städten wohnen. Das Hauptmerkmal des Städters ist zunächst seine Landlosigkeit. Und das war schon immer ein Zeichen von Armut. Zugegebenermaßen lebten in einigen Städten auch Könige, Fürsten und Herzöge, doch fand sich für diese vor den Toren der Stadt mindestens noch ein kleines Jagdschlößchen in einem schönen Wald oder eine Sommerresidenz mit einem trefflichen Park und vielleicht sogar einem kleinen Fleck Wasser.

Die aber, die immer in der Stadt wohnen und dort wohnen bleiben müssen, das sind die, die dazu verdammt sind, das staubige Pflaster der Stadt mit ihren nur unzureichend bekleideten Füßen zu treten, die schlechte Luft einzuatmen und täglich zu hoffen, daß der Bauer aus der Umgebung auch an diesem Tag wieder genügend zum Essen auf den Markt bringen wird. Von dieser Misere lenken sie sich mit den Vergnügungen ab, die jede Stadt hervorbringt: Alkohol, Tingeltangel und Sex. Von sich zu behaupten, man habe schon immer in einer Stadt gelebt und sowohl die vorherigen Generationen als auch sämtliche nachfolgenden Generationen hätten dies schon immer getan und würden dies auch weiterhin tun, ist, als würde man sich mit seinem unvorteilhaften Äußeren, seinen schiefen Zähnen oder seinem cholerischen Wesen brüsten.

Bitte verzeihen Sie mir diese Vorrede an dieser Stelle, denn gerade in Berlin gibt es eine große Menge von Menschen, die einem bei jeder Gelegenheit – und selbst in solchen Momenten, die man beim besten Willen nicht als Gelegenheit bezeichnen kann – zu verstehen geben, daß sie »schon immer hier gewohnt hätten« oder, besser noch, »hier geboren« seien. Mit diesen eindrucksvollen Argumenten dominieren sie jede Diskussion, sei es über die Bierpreise oder die Stammzellenforschung. Hat man es in einem Gespräch dennoch geschafft, ihnen das dünne Rinnsal ihrer Beweise abzugraben, dann folgt garantiert die Frage: »Wo kommst du eigentlich her?« Nennt man jetzt den Stadtbezirk, in dem man seit mehr als zwanzig Jahren wohnt, wird gern nachgehakt: »Ja, aber wo bist du geboren?« Und wenn man dann wahrheitsgemäß einen Ort angeben muß, der auch nur einen Meter vor der Berliner Stadtgrenze liegt,[*] dann kann man eigentlich schon seinen Mantel

---

[*] Mein Freund Andreas hat in der Beziehung unglaubliches Glück gehabt. Er wurde in Staaken geboren, das nach dem Bau der Mauer in Brandenburg lag. Nach dem Fall der Mauer wurde es wieder ein-

von der Garderobe nehmen und nach Hause gehen. Denn für den Rest des Abends wird man kein Land mehr sehen, jeder Halbsatz wird fortan in dem Gegröle: »Der Sachse!« (oder »Der Bayer!« oder »Der Fischkopp!« oder oder oder) untergehen.

Wobei es einigermaßen undurchschaubar ist, wer ein »echter Berliner« ist und wer nicht. Denn die Regeln sind kompliziert und voller Ausnahmen. Natürlich gibt es das Geburtsrecht, andererseits aber gibt es Heerscharen von in Berlin Geborenen, deren Eltern schon hier geboren wurden und die sich dennoch als Türken bezeichnen. Dann gibt es die Möglichkeit, ehrenhalber zum Berliner ernannt zu werden, obwohl die Regeln dafür streng geheim sind, damit nicht jeder Dahergelaufene mitzumachen versucht. So gibt es zum Beispiel keinerlei Zweifel daran, daß der unzweifelhaft in China geborene Pandabär Bao Bao ein waschechter Berliner ist. Der in Brookline, Massachusetts, geborene John Fitzgerald Kennedy hat es mit seiner abstrusen Selbstbehauptung (»Ich bin ein Berliner«) geschafft, ein Kunststück, das bis heute niemandem sonst gelungen ist. Auch jeder Stürmer, der für Hertha ein paar heißersehnte Tore schießt, wird gern in die Reihe der echten Berliner aufgenommen. Allerdings nur so lange, bis er zu einem anderen Verein wechselt. Auch wenn man sich oft genug auf den Titelseiten Berliner Zeitungen mit den großen Buchstaben aufhält, kann man Berliner werden.

Täglich ziehen Menschen nach Berlin, wie in jede

gemeindet, so daß jetzt in seinem Ausweis prangt: »Geburtsort: Staaken (jetzt Berlin)«!

andere Großstadt. Das Besondere an Berlin ist vielleicht, daß immer gerade der letzte Einwanderer die Tür besonders fest hinter sich zuziehen möchte, daß derjenige, der momentan auf dem sinnbildlichen Steg steht, schon laut zur wartenden Masse hinter sich ruft: »Das Boot ist voll«, und am liebsten den Steg sofort anzünden möchte, wenn er auch nur einen Fuß in dem sinnbildlichen Boot hat.

Ein anderes interessantes Phänomen in dieser Stadt ist, daß jeder Neuankömmling schon immer hier gewesen sein möchte. Nach spätestens drei Wochen unterdrücken die Neuzugänge ihren heimatlichen Dialekt, nach drei Monaten versuchen sie zu berlinern, und nach sechs Monaten haben sie sich schon an den Geschmack der Berliner Biere gewöhnt. Warum nur ist das so? Wie viele Berliner sitzen nach drei Monaten in Passau in der Krachledernen beim Weißbier und versuchen, sich als echte Passauer auszugeben? Vielleicht wollen gerade deshalb viele echte Berliner sein, weil das von unerreichbarer Exklusivität ist und das Gefühl des Ausgeschlossenseins so unerträglich. Dabei ist die Geburtenrate in der Stadt so schlecht wie überall im Land, und ohne Zuwanderung wäre Berlin schon vor Jahren in seinem Dreck erstickt, würde nichts mehr laufen, fahren oder fliegen. Aber reiben Sie das mal einem echten Berliner unter die Nase. Sie können sicher sein, nach einer kurzen Pause wird er Ihnen gekonnt antworten: »Wo kommst du eigentlich her?«

Ach, man könnte diese echten Berliner noch mit so viel mehr ärgern. Die weitaus meisten über die Grenzen der Stadt hinaus bekannten Berliner, ja Berliner Originale, hatten ihre Wiege weit außerhalb der Stadtmauern. Der Zeichner Heinrich Zille, der wie kein anderer das Berlin der Jahrhundertwende porträtierte, wurde im sächsischen Radeburg geboren. Wilhelm Voigt, besser bekannt als Hauptmann von Köpenick, war gebürtiger Ostpreuße aus Tilsit. Alfred Döblin, Nervenarzt und Autor des berühmten »Berlin Alexanderplatz«, kam aus dem pommerschen Stettin. Hildegard Knef (»Ich hab' noch einen Koffer in Berlin«) stammte gar aus dem schwäbischen Ulm. Selbst Annette Humpe (»Ich steh' auf Berlin«) kommt nicht von hier, sondern aus dem westfälischen Hagen. Sogar die (natürlich umstrittene) Erfinderin der Currywurst kam nicht aus Berlin, sondern aus dem damals ostpreußischen Königsberg. Sie wäre heute sogar Russin!

Mit der Stadtgründung Berlins um 1230 erhofften die askanischen Fürstenbrüder Johann I. und Otto III. übrigens einen Beitrag zur Germanisierung dieses Landstrichs zu leisten. Es war mühevoll von den slawischen Stämmen erobert worden, trotzdem gab es überall nur slawische Siedlungen. Berlin-Cölln sollte als Frontstadt dienen, ein germanischer Siedlungskern im Wendenland. Die Namen vieler später eingemeindeter Bezirke wie Treptow, Rudow oder Buckow erinnern noch heute an ihren slawischen Ursprung. Berlin selbst wurde aber vollständig neu gegründet, nichts wies jemals auf eine vorher am selben Ort bestehende Siedlung hin. Da Berlin somit eine der jüngsten Städte Europas ist und erst nach dem Ende der Völkerwanderungen überhaupt gegründet wurde, hat historisch gesehen immer verhältnismäßig wenig Migration nach Berlin stattgefunden. Die Stadt besitzt keinen Seehafen,* Preußen hatte keine nennenswerten Kolonien, deren Bewohner in die Hauptstadt hätten ziehen können, wie das noch immer in London, Amsterdam oder Paris der Fall ist. Ein paar Polen, ein paar Sachsen, ein paar Westfalen haben sich hierher verlaufen. Nach dem Zweiten Weltkrieg kamen ein paar Umsiedler aus den Ostgebieten, und danach war die Stadt auf Grund der politischen Situation wieder hermetisch gegen einen natürlichen Migrationsprozeß abgeriegelt. Es war ausgeschlossen, daß sich ein Wandersmann zufällig nach Berlin verirrte und sich dort niederließ. Im Ostteil der Stadt wurde der Zuzug zentralistisch geregelt, den Westteil umgab die Mauer. Die wesentlichen Einwanderungen beruhten auf politischen Entscheidungen.

Denkt man an Ausländer in dieser Stadt, fallen einem zuerst die Hugenotten ein, denen der Preußenkönig Friedrich II. mit seinem Toleranzedikt von 1685 Einlaß nach Preußen gewährte. Weil deshalb noch keinem Bauern oder Fürsten eingefallen wäre, den Hugenotten Land zu verkaufen, siedelten sie sich zum überwiegenden Teil in den Städten Berlin und Potsdam an. Sie durften sich im Zentrum sogar eine eigene Kirche bauen, den Französischen Dom. Dies wurde ihnen aber nur unter der Bedingung gestattet, daß sie daneben eine mindestens ebenso prächtige Kirche für die Berliner hinstellten, weshalb der Deutsche Dom nur ein paar Schritte über den Gendarmenmarkt entfernt gebaut wurde.

---

* Obwohl Berlin von 1359–1452 sogar Hansestadt war und nur deshalb aus diesem Bund austreten mußte, weil die Hohenzollern es zu ihrer Residenzstadt erklärten.

Mit den Hugenotten kam so etwas wie ein französisches Element nach Berlin, das sich jedoch nicht durchsetzen konnte. Weder verbesserte sich die örtliche Küche, noch entwickelte sich eine Kultur des Weintrinkens. Und aus der charmant-erotisch gefärbten Aufforderung: »Visite ma tente!«, an einem lauen Sommerabend auf dem Gendarmenmarkt von dem charmanten Jacques mit den tiefschwarzen Haaren in das vor Keuschheit und Erregung errötende Gesicht der Magd Ilse geflüstert, blieb nur die übrig, ja keine *Fisimatenten* zu machen. Fürs Subtile an sich hatte der Berliner noch nie sehr viel übrig.

Die Hugenotten können, wie gesagt, als vollständig assimiliert gelten. Und auch die Ostpreußen, Polen und Schlesier sind im Stadtbild nicht mehr wahrnehmbar, obwohl sie aus historischer Sicht zum großen Teil gewissermaßen erst kürzlich nach Berlin kamen. Doch nach ihnen kamen in den siebziger Jahren des letzten Jahrhunderts die Türken. Plötzlich waren alle Berliner Konnopkes, Smieceks, Gerauds und natürlich die Müllers, Meiers und Kunzes der festen Überzeugung, daß *sie* ja schon immer hier gewesen, aber die Fremden nun eine große Belastung seien. Als ein Musterbeispiel für falsche Ausländerpolitik gab man den ausländischen Arbeitskräften praktisch einen eigenen Bezirk. Das alte Arbeiterviertel Kreuzberg lag dicht an der Mauer, und die Häuser dort waren zum größten Teil in einem miserablen Zustand. Es gab zahlreiche Wohnungen, in denen nicht einmal eine Ofenheizung zu finden war. Nach und nach hatten sich dort die Mietshäuser geleert, und man plante, das Viertel nahezu vollständig abzureißen und etwas Schönes, Modernes mit viel Beton und Neonlicht an seine Stelle zu setzen. Als nun aber plötzlich viele tausend Wohnungen gebraucht wurden, überreichte man in einer Geste der Großherzigkeit den Türken diese verwahrlosten Abrißhäuser. So entstand der sich hartnäckig haltende Mythos von Kreuzberg, der angeblich drittgrößten türkischen Stadt der Welt. Doch obwohl sie immer wieder gern zitiert und benutzt wird, ist diese Behauptung vollständiger Unsinn. Ganz Berlin, mit allen in Kreuzberg und in Wedding und Neukölln und überall sonst im Stadtgebiet lebenden Menschen mit türkischem Paß, schafft es nicht einmal unter die ersten zwanzig türkischen Städte.

Nach dem Fall der Mauer kamen die Vietnamesen. Das heißt, eigentlich waren sie schon vorher dagewesen, nur waren sie da in einigen Ostberliner Hochhäusern versteckt worden und durften kaum Kontakt zur Außenwelt aufnehmen. Die »Vietnamesischen Werktätigen« (VWs) waren von der DDR ins Land geholt worden, weil sie größeren Fleiß und mehr feinmotorisches Geschick als ihre ostdeutschen Brüder und Schwestern zeigten. Ihre Lebensumstände waren äußerst bescheiden. Knallharte Verträge zwischen der Volksrepublik Vietnam und der DDR sollten verhindern, daß die Vietnamesen sich in Deutschland einlebten oder gar ein selbständiges Leben aufbauen konnten. Nach einer festgelegten Anzahl von Monaten wurde jeder Vietnamese wieder zurück in die Heimat verschifft. Nach der Wende blieben dann viele dieser Vertragsarbeiter in Deutschland. Ein paar von ihnen schafften das legal, viele blieben als sogenannte Illegale im Land, vor allem in Berlin.

Nach den Vietnamesen kamen die Russen. In den elf Monaten, als die DDR praktisch schon untergegangen war, jedoch noch eine kleine Spitze vom Schiffsrumpf über die Wasseroberfläche hinausragte, war Ostdeutschland eines der liberalsten Länder des Planeten. Jeder, der sich auch nur etwas Mühe gab, erhielt einen offiziellen Status. In einem Land, in dem über Jahrzehnte vor allem die Ausreise seiner Bürger tägliche Realität gewesen war, konnte man sich nur schlecht vorstellen, daß viele Menschen wirklich bleiben oder dorthin ziehen wollten. Es waren vor allem Menschen aus der ehemaligen Sowjetunion, von den Berlinern einheitlich »Russen« genannt, die diesen Umstand nutzten und nach Berlin einwanderten. Nachdem die Lokalpresse ein paar Jahre lang ausschließlich und in Verkennung der komplexen Realität von der *Russenmafia* und ihren schrecklichen Gewaltverbrechen geschrieben hatte, drehten sich die Berliner eines Tages um und stellten fest, daß die Russen schon überall waren. Sie saßen in den Straßenbahnen, telefonierten laut mit Handys und verkauften in kleinen Lebensmittelgeschäften Pelmeni, Kwas und russisches Konfekt. »Wer sind diese Russen, die offensichtlich nichts mit Mafia zu tun haben?« fragten sich die Berliner verdutzt. Dem Berliner Schriftsteller Wladimir Kaminer gebührt das Verdienst, die Deutschen im allgemeinen und die Berliner im besonderen in seinen zahllosen Büchern über diese neuen Nachbarn aufgeklärt zu haben.

Nach den Russen kamen die Westdeutschen. In Ostberlin hießen alle Bürger der BRD »Westdeutsche«, auf der Insel Westberlin sagte man so zu den Festlandbewohnern westlich der innerdeutschen Grenze, alternativ auch »Wessis«.* Ja, dieser Begriff wurde schon vor der Wende in Westberlin erfunden, zusammen mit seinem Pendant »Ossi«. Angelockt von dem neuen Hauptstadtstatus und angetrieben von ihrer Geschäftigkeit, kamen auch sie plötzlich in Massen nach Berlin. Doch im Gegensatz zu den Türken, die noch mit den schlimmsten Häusern vorliebnahmen, zu den Vietnamesen, die sich geschäftstüchtig vollkommen auf die Bedürfnisse der anderen Bewohner einstellten, oder den Russen, die neue Rhythmen in die Stadt an der Spree brachten, war das Problem an den Westdeutschen, daß sie einerseits »schon immer« hier gewesen sein wollten und daß sie andererseits dafür kämpften, daß Berlin so schnell wie möglich wie ihr Westdeutschland aussehen sollte. Sie zogen in edelsanierte Häuser und achteten darauf, daß die bösen Sprayer diese nicht beschmierten. Anstatt die lokale Küche zu probieren, brachten sie Maultaschenrestaurants in die Hauptstadt, und anstatt dem lokalen Bier eine Chance zu geben, eröffneten sie Weinrestaurants und Kölsch-Kneipen. Um »Flair« in die Hauptstadt zu bringen, stellten sie überall lackierte Bären auf, eine Aktion, die man vielleicht in Bottrop oder Güstrow kreativ und witzig gefunden hätte, die aber in der vor guter bildender Kunst schier überquellenden Stadt so deplaziert war wie buntlackierte und mit Lötkolbenverzierungen versehene Eulen in Athen. Aber, und das ist sicher, auch diesen aktuellen Ausschlag des Einwanderungspendels wird Berlin schließlich verkraften, und

---

* »Flasche Sekt 150 Mark / Für 'n Westdeutschen, der sein Geld versäuft / Mal sehen, was im *Jungle* läuft«, sang die Band »Ideal« 1980 in ihrem Song »(Ich steh auf) Berlin«.

irgendwann werden die Maultaschen in diesen Restaurants mit Currywurst gefüllt sein.

Spätestens an dieser Stelle muß aber auch der beispiellose Exodus erwähnt werden, den Berlin in der Nazizeit erfuhr. Zusätzlich zu den Kriegsopfern des Weltkriegs der Nazis verlor die Stadt Tausende von Bürgern, ja eine ganze Kultur durch rassistische Exzesse der Faschisten. Nur ein paar S-Bahn-Minuten vom Stadtzentrum entfernt liegt das ehemalige Konzentrationslager Sachsenhausen. Nimmt man den Zug in die andere Richtung, kommt man zum Wannsee, wo die monströse Vernichtungspolitik der sogenannten Endlösung geplant wurde. Auf halber Strecke, in der Tiergartenstraße 4, wurde die nach dieser Adresse benannte »T4«-Aktion zur Vernichtung psychisch Kranker initiiert.

Beim Spaziergang in bürgerlichen Charlottenburger Vierteln, durch das Scheunenviertel oder die Friedrichstadt, beim Blick auf die Charité oder die Humboldt-Universität, überall kann man die Errungenschaften dieser Toten sehen. Die Stadt war ein kreatives Chaos, in das enorm viele Intellektuelle, Wissenschaftler und Künstler wie selbstverständlich zogen. Max Reinhardt, Albert Einstein und Max Liebermann seien stellvertretend genannt. Es gab Synagogen, ganze Viertel, die »jüdisch« waren. Bis heute hat es Berlin nicht geschafft, an diese Zeit anzuknüpfen.

Es gibt diese unheimlichen Momente in Berlin, wenn man plötzlich realisiert, daß man auf manchen alten Straßen über dasselbe Pflaster geht, über das vor gar nicht langer Zeit die SA marschierte. Daß links und rechts die Häuser stehen, aus denen sie die Juden zum

Abtransport geholt haben. Auch auf Grund dieser Vergangenheit hat in Berlin keiner das Recht, die Stadt für sich allein zu beanspruchen. Wer möchte es ernsthaft wagen, noch einmal jemanden dieser Stadt zu verweisen? Gern wird immer wieder mal von den Medien versucht, ethnische Konflikte in der Stadt heraufzubeschwören mit unsinnigen Behauptungen, wie zum Beispiel, daß alle Russen Mafiosi und alle Ukrainerinnen Prostituierte seien. Dabei geht es nur um Auflagen, nicht um reale Probleme.

Ein schönes Beispiel dafür war kürzlich die Kopftuchdebatte im Berliner Senat. Die Politiker debattierten in Sondersitzungen per Eilanträgen mit hochroten Köpfen und öffentlichkeitswirksamen Slogans darüber, ob Berliner Lehrerinnen ihre Schüler im Kopftuch unterrichten dürften. Schließlich sei das eine wichtige Sorge in dieser Stadt mit ihrem erheblichen türkischstämmigen Bevölkerungsanteil. Zur Rettung der inneren Sicherheit Berlins wurde schließlich entschieden, daß man es Lehrerinnen nicht gestatten könne, im Unterricht ein Kopftuch zu tragen. Ein Journalist recherchierte daraufhin, wie viele Lehrerinnen es überhaupt gab, die ein Kopftuch trugen oder tragen wollten. Die Zahl war null. Und auch ein Jahr nach Verabschiedung des richtungweisenden Beschlusses war diese Zahl nicht gestiegen.

Wenn wir zu Pfingsten Gäste haben, die etwas von Berlin sehen wollen, dann schleppe ich sie immer mit auf den »Karneval der Kulturen«. Das ist eine Einrichtung, die dieser Stadt uneingeschränkt zur Ehre gereicht. Jede hier lebende Kultur gestaltet mindestens einen Wagen, auf dem die Menschen in bunten Kostümen zu exotischer Musik und lauten Trommeln herumtanzen, obwohl es an diesem Tag praktisch immer zu regnen scheint. Am Straßenrand stehen Currywurst- und Dönerbuden, alles typisch Berlin. Einigen wir uns darauf: Jeder, der hier ist und der das Leben der Stadt mitgestaltet, ist ein Berliner, ob er es will oder nicht. Das gilt für die Menschen, deren Vorfahren vor ein paar hundert Jahren aus Frankreich eingewandert sind, wie für die, die vor ein paar Jahrzehnten aus Polen kamen, und für die, die morgen aus Mosambik fliehen. Und es gilt sogar für Schwaben.

Normal und alles andere

Einst stand ich auf dem Bahnhof Zoo, wartete auf meinen Zug nach Hamburg, und wie üblich hatte die Bahn uns allen einige zusätzliche Minuten des Wartens geschenkt. Zufällig hatte ich mich vor den Wagenstandsanzeiger gestellt, also jener Tafel, der man entnehmen kann, an welcher Stelle im kommenden Zug der Speisewagen und wo die erste Klasse zu finden sein werden. Da solche Tafeln in Deutschland außerordentlich beliebt sind, hatte ich das Gefühl, daß nahezu alle Mitreisenden dieser Tafel ihre Aufwartung machten. Mir fiel auf, wie problemlos ich die Bewohner Berlins von denen Hamburgs unterscheiden konnte. Die Hamburger trugen adrette Haarschnitte, durchaus praktische, wenn auch hochwertige und geschmackvoll arrangierte Kleidung und Koffer, die man so auch in das Schaufenster eines Taschenladens hätte stellen können. Die Berliner dagegen hatten wuselige Haare, trugen irgendwelche Kleidung, die sie aus dem Schrank gezerrt hatten, und ihre Taschen wären kaum auf einem Flohmarkt verkäuflich gewesen.

Das Wort »normal« zirkelt einen Kreis ab, innerhalb dessen sich alles bewegt, was zu einer bestimmten Gruppe vereinbarter Normen gehört. Dinge außerhalb dieses Kreises sind in Abstufungen »fast nicht mehr normal«, »nicht mehr normal« und »abnorm«. Diese Begriffsbestimmung ist ausgesprochen wesentlich, will man die Berliner Normalität beschreiben. Grundsätzlich gilt: In dieser Stadt kann sich jeder wohl fühlen. Das heißt, wenn man in einer silberglänzenden Leggins mit bauchfreiem T-Shirt, Lockenwicklern und rosafarbenen Plüschpantoffeln eine Zeitung kaufen geht, könnte man in Gera oder Münster vielleicht einiges Aufsehen erregen, in vielen Berliner Bezirken würde man in seinem Zeitungsladen eine Menge Leute treffen, die genauso aussehen. Die Frau mit den zwanzig Katzen in der Ein-Zimmer-Wohnung, die gepiercte Oma, der Student, der in einer Weddinger Kellerwohnung seinen Säugling neben einer Leguan-Farm aufzieht, der langhaarige Mittvierziger, der auch im November barfuß mit Jesus-latschen und sehr kurz abgeschnittenen Jeans durch den Bioladen läuft – sie alle fallen in Berlin nicht auf. Das ist für die meisten angenehm. Die Schwulen und Lesben ziehen händchenhaltend durch die Stadt, die Transsexu-ellen fahren pfeifend auf dem Fahrrad zum Gemüse-markt, und die letzten Teds lehnen sich cool an ihre Motorroller.

Der Begriff »normal« ist in Berlin außerordentlich weit gefaßt. Eine Rentnerin mit auftoupierten, wasser-stoffblonden Haaren, kiloweise Schminke auf Augen-lidern, Lippen und Wangen – so daß man schon fürchtet, die Trägerin könnte vornüberkippen –, einem bauchfreien T-Shirt aus Satinimitat, auf dem der Schriftzug »Bitch« in pinken Lettern prangt; dieses Ensemble wird durch weiße Leggins abgerundet, die so tief auf der Hüfte sitzen, daß sich die Schnüre des taubenblauen Tangas sichtbar in das üppige Hüftgold schneiden; zwischen den Fingernägeln, die so lang sind, daß sie pro Hand mindestens eine Flasche Nagellack verbraucht haben muß, eine goldene Zigarettenspitze und in der rechten Hand eine Hundeleine, an deren Ende sich ein frisierter Pudel mit rosafarben getöntem Fell befindet – das ist in vielen Bezirken Berlins mit Sicherheit normal.

Deshalb ziehen sehr gern Menschen in diese Stadt, die anderswo auffielen, als verrückt bezeichnet werden würden, das ewige Lieblingsthema ihrer Kleinstadt wären. In Berlin kann es passieren, daß *sie* es sind, die in den ersten Wochen erstaunt die anderen angaffen. Manche kommen sogar mit diesem neuen Zustand der Normalität nicht zurecht. In ihnen erwacht der Ehrgeiz, weiterhin aufzufallen, der Individuellste in dieser Stadt der Individualisten zu sein. Das ist schwer. Um ein Berliner Original zu werden, braucht man viele Ideen und eine Menge Durchhaltevermögen. Es reicht nicht, einen lumpigen Nobelpreis oder Oscar im Schrank stehen zu haben oder gar ein weltweit anerkannter Künstler zu sein. Das Wichtigste ist, »in Berlin weltberühmt« zu sein. Diesen Status erreicht man, indem man mindestens in einem Lied, besser noch auf einer ganzen Platte besingt, wie großartig man Berlin zu jeder Tages- und Jahreszeit findet. Oder man schafft es, immer wieder in der lokalen Boulevardpresse aufzutauchen.

Einen ewigen Platz im Berliner Olymp erhält man jedoch nur, wenn man mindestens einmal in einer Vorabendserie über Berlin mitgespielt hat. So wird man vielleicht anderorts die Schauspielerin Brigitte Mira wegen ihrer Arbeit mit Rainer Maria Fassbinder schätzen, in Berlin ist sie aber für immer die Oma aus den »Drei Damen vom Grill«. Wer solche Art von Ruhm nicht erworben hat, kann noch so über die Straßen stolzieren, den Berlinern wird er egal sein.

Eines sei an dieser Stelle noch einmal gesagt: Es trifft nicht zu, daß die Berliner ein besonders tolerantes Herz, ein »Leben-und-Leben-lassen«, ein Laisser-faire tief in sich tragen würden. Und mit Sicherheit ist es auch nicht so, daß irgendein starkes politisches Programm die Berliner erfolgreich zu ihrer Toleranz erzogen hätte. Allerdings muß man angesichts der Qualität hiesiger Politik immerhin anerkennen, daß es bisher auch noch keinem Senat durch einen politischen Beschluß gelungen ist, das Klima in der Stadt dauerhaft und umfassend zu vergiften. Immerhin.

Nein, die Wahrheit über die Berliner Toleranz ist einfacher, was einleuchtend ist, weil sie sonst nicht von Millionen von Menschen über Jahrzehnte erfolgreich hätte praktiziert werden können. Der Mensch ist nicht gut, und die Berliner sind weder besonders moralisch noch tugendreich. Vermutlich sind sie das sogar in geringerem Maße als die Bewohner anderer Städte und Länder. Es ist vielmehr so, daß der gemeine Berliner eine Art polyvalenter Intoleranz praktiziert. Während im Rheinland einmal jährlich alles an unterdrücktem Groll und Lüsten in einer alkoholgetränkten Woge der Enthemmung beim Karneval entladen wird und der Nord-

deutsche seinen täglichen Kummer in Hochprozenti-
gem ersäuft, trinkt der Berliner nur Bier, macht aber aus
seinem Herz keine Mördergrube. Den Spruch des alten
Preußenkönigs, daß »jeder nach seiner Fasson« glücklich
werden solle, hat der Berliner hemmungslos zu seinen
Gunsten ausgelegt: »Ich mache ausschließlich, was ich
will, und das ist auch gut so.« Prägnant zusammengefaßt
liest man das auf dem Stoßstangenaufkleber: »Berliner
dürfen dit!«

Denkt man das konsequent weiter, lautet die erste
logische Schlußfolgerung: »Jeder andere macht nicht,
was ich will, und das ist nicht gut so.« Und getreu dieser
Schlußfolgerung findet der Berliner alles, was andere
machen, bescheuert. Da sich hier aber so unglaublich
viele Gruppen von Menschen aufhalten: Hessen, Lesben, Esten, Politessen u. v. a. m., konzentriert sich die
Energie der Ablehnung nicht auf eine bestimmte
Gruppe, sondern resultiert in einer muffeligen Grund-
stimmung gegen alle. Die ist aber so wenig zielgerichtet,
daß sie schließlich achselzuckend alles toleriert. Wenn
der Haß auf die Norweger genausogroß ist wie der Haß
auf die Eritreer, gleichen sich beide Richtungen aus,
und man ist äußerlich nicht mehr von einem toleranten
Menschen zu unterscheiden.

Die wenigen Male, wo dieses Gleichgewicht des
Schreckens gestört war, bleiben in schlimmer Erinne-
rung. Der Tod von Benno Ohnesorg, das Attentat auf
Rudi Dutschke oder die Wahlsiege der Republikaner
sind schlimme Beispiele dafür, wie es enden kann, wenn
ein Ungleichgewicht in dieses ausgewogene System
kommt. Deshalb beschimpft man sich lieber seit mittlerweile vielen glücklichen Jahren, und dabei kann jeder

nur hoffen, daß seine Flüche und Verwünschungen nie in Erfüllung gehen. Denn wenn auch nur eine Gruppe weggeht, und sei es die heute so unwichtig aussehende Population pfeifenrauchender Meeresaquaristen, so kann das doch für die Stadt unter Umständen weit schlimmere Folgen haben als der Flügelschlag eines Schmetterlings in Peking.

Wie, um Himmels willen, soll ich mich nun in dieser Stadt bewegen? fragt sich daher vielleicht der etwas ängstlichere Besucher. Aber das ist ganz einfach, man fährt einfach los, so, wie man ist. Man läßt die Arbeitssachen an, man zieht sich seine Gummistiefel nicht aus und steigt in den Bus und fährt los. Wer Lust hat, setzt sich noch einen lustigen Hut oder eine bunte Sonnenbrille auf. Und wer einmal ausprobieren will, wie die eigenen Haare in Azurblau aussehen, sollte das während seines Besuchs in Berlin machen. Keinesfalls sollte man versuchen, sich unauffällig oder schlicht zu kleiden! Denn mit nichts wird man sich unpassender gekleidet fühlen und schlimmer auffallen als mit einem mausgrauen Mantel oder einem schlichten Anzug. Sie würden die prüfenden Blicke aller auf sich ziehen. So herumzulaufen ist hier nicht normal.

Straßen von Berlin

Ihr habt noch immer
Alle Sünden mir verziehen.
Harald Juhnke, »Straßen von Berlin«

In einem kosmischen Maßstab ist Berlin vielleicht nicht groß, und niemals wird es so groß sein, wie die Berliner es finden. Auf jeden Fall aber ist Berlin weiträumig. Die Stadt ist eine kunterbunte Ballung verschiedener Städte, die, aus heutiger Sicht gesehen, praktisch zu nahe beieinander gegründet wurden. Besonders in den historischen Bezirken am Stadtrand ist das noch deutlich zu erkennen. Köpenick hat eine funktionierende Altstadt, und im schönen grünen Spandau erzählt man sich mit Grausen von der sagenumwobenen Stadt Berlin auf der anderen Seite der Havel.* Darüber hinaus wächst Berlin krakenartig ins umgebende Brandenburg hinein.

---

* Ich kenne jemanden, der in Spandau zur Schule ging. Sein Deutschlehrer bestand darauf, daß der Kopf jeder schriftlichen Aus-

Zu Fuß kommt man also nicht besonders weit, will man Berlin kennenlernen. (Den meisten Bewohnern reichen die Füße allerdings aus, solange sie sie von der Wohnungstür bis zum Supermarkt und gelegentlich zur Kneipe am Eck tragen.) Außerdem ist der Prozeß des Flanierens in Berlin eine anspruchsvolle Übung: Die Bürgersteige sind leider übervoll mit Hundescheiße, und wer sich seine Schuhe nicht verderben möchte, der wird bei einem Spaziergang kaum mehr als den immer nächsten Haufen* sehen. Will man nebenbei noch ein Geschäft entdecken oder gar etwas von der Stadt sehen, muß man gelegentlich stehenbleiben und den Blick heben. Daß man dafür von anderen, eiligen Fußgängern entnervt beschimpft wird, ist ein Umstand, den man schulterzuckend hinnehmen sollte.

Viele Eingeborene fahren mit dem Fahrrad durch die Stadt, was eine mutige Leibesübung ist. Denn weil zugegebenermaßen viele Radfahrer die Farbe *Rot* von Ampeln prinzipiell ignorieren, sind viele Autofahrer, die frustriert vor roten Ampeln stehen, sauer auf *alle* Radfahrer und probieren, ihnen bei jeder Gelegenheit

arbeitung oben links aus dem Namen des Schülers und oben rechts aus den Worten »Berlin-Spandau, den…« bestand. Wer sich nicht daran hielt oder gar »Berlin« schrieb, bekam automatisch eine Note schlechter.
* Dagegen etwas zu sagen oder gar zu unternehmen ist kreuzgefährlich. Gegen Berliner Hunde sind indische Rinder Freiwild. Kein Polizist traut sich, einen Schmutzhundbesitzer anzusprechen, auch politisch ist das Thema tabu. Trotz seiner desaströsen Haushaltslage leistet sich Berlin acht fahrende Hundescheiße-Staubsauger, anstatt das Problem mit ein paar Ordnungsstrafen in den Griff zu bekommen.

eins auszuwischen. Zwar sind möglicherweise auch die Fahrradfahrer sauer darauf, daß viele Autofahrer prinzipiell die Höchstgeschwindigkeit nicht beachten, aber welche Chance haben sie schon, Autofahrern eins auszuwischen?

Doch nicht nur Autos können dem Radfahrer zur Gefahr werden. Seit der recht großzügigen Einrichtung von Fahrradwegen überall in der Stadt ist eine große Zahl äußerst labiler Menschen darauf unterwegs. Fußgänger sollten unbedingt einen großen Sicherheitsabstand zu diesen rot markierten Pisten des Irrsinns halten! Einerseits fahren dort die Raser, die sich mental permanent im alles entscheidenden Schlußspurt der Tour de France befinden und rücksichtslos alle Gegner ausschalten wollen, nein müssen. Andererseits fahren dort Menschen mit nicht verkehrsfähigen, fahrradähnlichen Vehikeln, die nur eingeschränkt lenk- und bremsfähig oder fahrtauglich sind. Eine dritte Gruppe bilden die Menschen, deren Fahrräder zwar in Ordnung sind, die sich aber selbst in einem verkehrsunfähigen Zustand befinden. Und dann gibt es noch jede mögliche Kombination dieser Gruppen, also eben auch den vollalkoholisierten Raser auf der Schrottmühle. Das Kollektiv dieser verschiedenen Verkehrsteilnehmer drängelt sich nun auf dem knapp einen Meter breiten Radweg, der natürlich in beide Richtungen befahren wird, weshalb routinierte Radfahrer gern auf die Fahrbahn ausweichen. Das mindert auch die Gefahr, an Kreuzungen auf dem Radweg von abbiegenden Autos erwischt zu werden.

Wenn man will, kann man in Berlin auch mit dem Auto fahren, aber nur dann, wenn man viel Zeit hat und kein bestimmtes Ziel verfolgt. Denn bei der wichtigen

Entscheidung, ob man die Innenstadt für den Autoverkehr freigeben oder sperren will, hat sich Berlin für den Mittelweg des Nichtstuns entschieden. Eigentlich ist die Innenstadt freigegeben, aber die entscheidenden Straßen sind immer aus den unterschiedlichsten Gründen gesperrt. So kann der Ahnungslose problemlos hineinfahren, wird aber womöglich erst nach Tagen wieder herausfinden, weil ihn plötzlich aus allen Richtungen Einbahnstraßen angähnen und Baustellen oder Botschaften weiträumige Absperrungen nötig machen. Für zusätzliche Frustration sorgt die Tatsache, daß die Ampelschaltung absolut niemals der Verkehrssituation angepaßt wird. So kann man beobachten, wie eine Hauptstraße, auf der lediglich ein großer Kran untätig neben einem Betonmischer steht, eine irritierend lange Grünphase bekommt, während man selbst eine Ewigkeit in der eigentlichen Nebenstraße steht und darauf hofft, daß bei der nächsten Grünphase ausnahmsweise zwei Autos die Passage schaffen werden.

Natürlich sollte man mental sehr flexibel sein, denn die Art, ein Auto zu steuern, variiert von Stadtbezirk zu Stadtbezirk, abhängig von der Mentalität der Bewohner. Während zum Beispiel in Wilmersdorf oder Spandau der laut Straßenverkehrsordnung vorgeschriebene Mindestabstand des Fahrzeugs zum Mündungsbereich der Straße notfalls mit dem Zollstock ausgemessen wird, ist in anderen Stadtbezirken wie Neukölln oder Wedding ein Parkplatz immer dort, wo man sein Auto hinstellt. Ähnliche Gesetzmäßigkeiten gelten für den Umgang mit der Hupe oder die Verbindlichkeit dessen, was die Ampel anzeigt. Mancherorts sieht man das eher preußisch zurückhaltend – die Hupe als Instrument für Warnung und Strafe. In anderen Bezirken ist die Einstellung eher südländisch geprägt: Das heißt, man schaltet die Hupe im wesentlichen zeitgleich mit dem Motor an und betrachtet sämtliche Verkehrzeichen als gutgemeinte, aber eher unverbindliche Ratschläge. Angesichts des Fahrverhaltens in diesen Bezirken könnte man kaum glauben, daß in dieser Stadt Ampeln schon seit längerem bekannt sind, daß hier 1924 sogar die erste Ampel Deutschlands überhaupt aufgestellt wurde.

Nachdem also für den vernunftbegabten Besucher das Auto, das Fahrrad und das Zufußgehen ausscheiden, scheint die einzige Möglichkeit, sich sicher durch Berlin zu bewegen, der öffentliche Personennahverkehr. Dieser wird dominiert von den Berliner Verkehrsbetrieben, abgekürzt BVG*. Eigentlich könnte alles so schön sein zwischen der BVG und Berlin. Große Doppeldecker-busse fahren zum Normaltarif durch die Stadt, deren Oberdecks luxuriöse Aussichtsplätze bieten. Die einzige Möglichkeit, dort oben in der vordersten Sitzreihe Platz zu nehmen, ist es, an einer der Endhaltestellen einzu-steigen, die Treppe hochzurennen und dann nicht wie-der aufzustehen. Aber das kann sich lohnen: Mit der Linie 100 von einer Endhaltestelle zur anderen und mit der Linie 200 zurück enthält die wesentlichen Teile jeder Stadtrundfahrt: Zoo, Schloß Bellevue, Potsdamer

---

* Ja, BVG, mit G am Ende. Die ehemals zahlreichen Verkehrsbetrie-be wurden 1928 zu einer Aktiengesellschaft zusammengeführt, deren einziger Aktionär die Stadt Berlin war. Als die Gesellschaft sich dann 1938 in die städtischen Berliner Verkehrsbetriebe umbenannte, wur-de das G aus historischen Gründen beibehalten. Lediglich in Ostber-lin fuhren die Straßenbahnen und Busse für die BVB. 1990 hieß es dann auf einem offiziellen Werbeplakat: »BVG + BVB = BVG«.

Platz, Alexanderplatz, Reichstag, schwangere Auster, Tiergarten, Unter den Linden, Humboldt-Universität, Friedrichstraße, Brandenburger Tor. Am Wochenende fährt selbst der Berliner gern mit den öffentlichen Verkehrsmitteln ins Grüne, weil er meist auf dem Rückweg auch nicht mehr in der Lage wäre, selbständig ein Verkehrsmittel zu lenken.

Aber trotz der Unentbehrlichkeit der BVG für die Berliner gibt es Probleme. Eine der zahlreichen Stadtillustrierten schrieb kürzlich, daß die Berliner eine Haßliebe zur BVG empfänden. Von einer solchen Ambivalenz des Verhältnisses ist mir nichts bekannt. Meines Wissens ist das Verhältnis zwischen den Berlinern und ihrer BVG von lupenreiner gegenseitiger Ablehnung geprägt. Wegen immer wieder von beiden Seiten ausgehender verbaler und sogar körperlicher Auseinandersetzungen bietet die BVG ihren Mitarbeitern sogar Anti-Gewalt-Kurse und Deeskalationstrainings an, die einerseits das korrekte Verhalten gegenüber aggressiven Fahrgästen vermitteln sollen, andererseits einen besseren Umgang der Mitarbeiter mit ihren eigenen Aggressionen.

Die Fahrgäste ihrerseits machen es der BVG nicht leicht, sie zu lieben, weil sie ihr nicht genügend Geld geben. Im Washingtoner Museum für Technik[*] stand

---

[*] Genannt »Smithsonian«, aber wir sind ja hier nicht in der »Gebrauchsanweisung für Washington, D. C.«. Auch in Berlin gibt es übrigens ein ganz ausgezeichnetes Museum für Technik mit Eisenbahnen, Autos und Lernspielen für Kinder im besten Alter. Und es gibt sogar eine Brauerei zum Anfassen. Väter schleppen hier am Wochenende ihre Kinder hin und lassen sie gelangweilt in der Ecke stehen, während sie selbst sich nicht satt sehen können.

ich einmal mit vielen Erwachsenen in der Kinderabteilung und drückte begeistert auf die buntlackierten Holzknöpfe. Für die arroganten Kinder waren solche primitiven Spielereien nichts, sie hatten zu Hause Spielkonsolen der Extraklasse und waren nicht mehr mit solchen analogen Spinnereien zu locken. Sie betrachteten mit Kennermiene und hinter dem Rücken verschränkten Händen die Schaukästen mit der Originalformel zur Kernspaltung. Aber wir Erwachsenen, die wir in unserer Kindheit nichts hatten als einen kleinen Brummkreisel und einen Klumpen Torf als Kuscheltier, wir standen Schlange bei den Lernspielen. Besonders begeistert war ich von einem Spiel, in dem man als Bauer den Eierpreis festlegen konnte. War der Eierpreis zu niedrig, verdiente man zu wenig Geld. Steigerte man den Eierpreis, bekam man mehr Geld, und als man gerade dachte, so könnte es immer weitergehen, ließ ab einem bestimmten Eierpreis der Umsatz nach, und man verdiente immer weniger. Zu teure Eier kauft kein Mensch. Tragischerweise war offensichtlich noch kein leitender Angestellter der BVG an diesem Washingtoner Schaukasten. Denn deren Fahrpreise haben vor langer Zeit die Grenze des Zumutbaren überschritten. Für das gleiche Geld, mit dem ein Student vor nicht einmal zehn Jahren einen Tag lang kreuz und quer durch die Stadt fahren durfte, kommt er heute drei U-Bahn-Stationen weit.

Auf die sinkenden Umsätze reagiert die BVG souverän mit weiteren Preissteigerungen. Der stabilste Preis ist der sogenannte »erhöhte Beförderungstarif«, also das Strafgeld für Schwarzfahren, das in den letzten dreißig Jahren nur einmal erhöht wurde. Die Schwarzfahrerquote ist daher sehr hoch und schließt alle sozialen

Schichten ein. Beim Schwarzfahren erwischt zu werden gilt nicht als ehrenrührig. Es ist eher so, daß man sich etwas verlegen entschuldigt, wenn man eine Fahrkarte kauft. »Du, tut mir leid, ich hab heut keine Lust auf den Streß« oder »Ich bin mit der Kleinen unterwegs« sind oft gehörte Ausreden. Es gibt viele Strecken, auf denen es für zwei Leute tatsächlich billiger ist, mit dem Taxi zu fahren, als eine halbe Stunde im Regen auf den teuren Bus zu warten. Aber mit dem Taxi zu fahren ist so anstrengend wie anderswo, den Streckenkomfort bezahlt man nicht selten mit dem Anhören der traurigen Lebensgeschichte des Fahrers oder seiner eher ungewöhnlichen politischen Meinung.

Die BVG beschäftigt eine Heerschar von Mitarbeitern, um Schwarzfahrer zu erwischen. Früher, als die Preise noch bezahlbar waren, standen zwei Kontrolleure in gut erkennbaren Uniformen auf den Bahnsteigen und riefen: »Guten Tag, Fahrkartenkontrolle«, noch bevor sich die Türen geschlossen hatten, damit auch die Fahrgäste ohne gültigen Fahrschein, die gerade nicht aufgepaßt hatten, rechtzeitig die Bahn verlassen konnten. In Bussen gab es prinzipiell keine Kontrollen, weil da ja der Busfahrer mit drin saß, der theoretisch die Fahrscheine hätte kontrollieren können. Später stiegen genügend Uniformierte zur Bewachung jeder einzelnen Tür ein und wurden gelegentlich auch von zwei Polizisten begleitet, denn die Kontrolleure der BVG dürfen niemanden festhalten. Eine Art sportlicher Fairneß, wie man sie auch von der Jagd oder vom Angeln kennt, herrschte zwischen ihnen und den Schwarzfahrern. Heute gibt es keine Uniformen mehr, und auch in Bussen darf kontrolliert werden. Dabei kann es einem passieren, daß der nette Punk von nebenan oder jemand, dem man gerade ein bißchen Kleingeld geben wollte, plötzlich seinen Kontrolleursausweis zieht und man ihm dann den gesamten Inhalt seiner Geldbörse aushändigen muß.

Die Berliner haben inzwischen ein hohes Maß an Souveränität im Umgang mit Kontrollen entwickelt. So gibt es die Kurzstrecke für Schwarzfahrer und den Normaltarif. Für die Kurzstrecke steigt man in die Straßenbahn ein und kämpft sich mit aller gebotenen Langsamkeit zum Fahrkartenautomaten vor. Hat man ihn erreicht, bestaunt man zuerst die vielen bunten Knöpfe darauf. Es gibt die Tarifbereiche A, B und C. Folglich gibt es Karten für AB, BC und Zusatzkarten für A bzw. C. Es gibt Tageskarten* und Touristenkarten. Es gibt Karten für Rentner und Arbeitslose im Besitz gültiger Berechtigungsausweise. Es gibt Karten für Hunde und Fahrräder. Es gibt Karten für Sozialhilfeempfänger, hingegen keine Karten für Studenten. Also studiert man erst mal in aller Ruhe das Tarifsystem. Dann liest man, daß man für den Kurzstreckentarif nur sechs Stationen fahren darf, andernfalls den regulären Tarif bezahlen muß. Dann zählt man auf dem Netzplan die Stationen aus, muß sich aber vorher überlegen, wie denn diese Station hieß, an der man eingestiegen war. Das alles dauert unendlich lange. Spätestens jetzt hat man sein Fahrziel oder die Endhaltestelle erreicht und steigt aus. Sollte man vorher von einem Kontrolleur belästigt werden, kann man glaubhaft versichern, daß man *gerade* bezahlen wollte, aber zuerst herausfinden wollte, wieviel.

---

* Natürlich auch diese für AB, BC und ABC. Nur um es erwähnt zu haben.

Der Normaltarif für Schwarzfahrer ist eher für den geduldigen Vielfahrer geeignet. Man kauft sich eine Zeitlang tatsächlich eine gültige Fahrkarte und fährt so lange damit durch die Gegend, bis endlich eine Kontrolle kommt. Dann zeigt man den Kontrolleuren nicht die Fahrkarte, sondern sagt einen immer gleichlautenden Spruch auf. Mein Freund Michael, der diese Methode erfunden hat, sagt beispielsweise: »Ich bin Buddhist, und Sie sind nur eine Illusion.« »Lassen Sie uns über die Erosion des Permafrostbodens in Sibirien reden!« oder »Was ist mit dem Schicksal des südbolivianischen Schlammspringers?« sind aber genauso geeignet. Der Kontrolleur wird zunächst eine mehr oder weniger unpassende Antwort geben, zum Beispiel: »Das ist mir egal, ich will jetzt trotzdem Ihre Fahrkarte sehen.« Dann sagt man wieder seinen Satz und muß schließlich mit den Kontrolleuren aussteigen. Da diese keine Personenkontrollen durchführen dürfen, müssen sie die Bundespolizei rufen, was natürlich eine Weile dauert. So lange steht man gemeinsam auf dem Bahnsteig herum und kommt nun vielleicht doch ins Gespräch über die klimatischen Veränderungen in Sibirien. Währenddessen halten mit Schwarzfahrern prallgefüllte U-Bahn-Wagen und fahren wieder los, von den Kontrolleuren mit sehnsüchtigen Blicken verfolgt.* Kommen die Beamten endlich, zeigt man anstandslos seinen Fahrschein und läßt die versammelte Mannschaft mit offenen Mündern stehen.

---

* Trotz oder vielleicht wegen der zahllosen Dementi der BVG sind alle Berliner davon überzeugt, daß die Kontrolleure eine Art Fangquote von Schwarzfahrern erbringen müssen.

Die ganze Prozedur muß man nur ein paarmal machen, bis es sich in Kantinengesprächen unter den Kontrolleuren herumgesprochen hat, was für ein Verrückter einem da die Fangquote versaut. Als Michael wieder einmal kontrolliert wurde und wie üblich seinen Satz sagte: »Ich bin Buddhist, und Sie sind nur eine Illusion«, reagierte der Kontrolleur nur mit einem kurzen »Ach so, alles klar!« und ging weiter. Seitdem hat Michael nie wieder eine Fahrkarte gekauft.

Die Preise der BVG werden nur in den geraden Jahren erhöht. In den ungeraden Jahren wird das Streckennetz ausgedünnt. Bushaltestellen werden gestrichen, Straßenbahnen kommen nicht mehr alle fünfzehn, sondern nur noch alle dreißig Minuten. Zwei Jahre später stellt man dann fest, daß niemand mehr eine Straßenbahn benutzt, die werktags von neun bis vierzehn Uhr alle halbe Stunde, sonst alle fünfundvierzig Minuten (außer in Schaltjahren) kommt. Schließlich kann die BVG diese Straßenbahnlinie ganz streichen. Es entspricht dem Trend der Zeit, daß diese Kürzungen des Streckennetzes mit großem Werbeaufwand als Verbesserungen gefeiert werden. Dann kann der Fahrgast sich die neuen, langen Wartezeiten mit dem Studium von Hochglanzbroschüren vertreiben und erfährt zum Beispiel, daß die Streckenkürzung einer »neuen Verkehrsphilosophie« entspricht, während er sich hier die Zehen blau friert. Natürlich werden laut dieser Philosophie keine Buslinien gestrichen, sondern man »konzentriert sich auf wesentliche Verbindungen«.

Denkt man die seit Jahren bestehenden Trends konsequent zu Ende, kommt man zu dem Schluß, daß die ganze BVG eines Tages nur noch aus einem einzigen Bus bestehen wird, der einmal am Tag eine Runde über den Potsdamer Platz drehen wird. Weil natürlich der zu bezahlende Verwaltungsapparat nicht kleiner geworden ist,* sind die Preise exorbitant. Eine legal erworbene Fahrkarte schließt automatisch das Recht auf die Kontrolle der Fahrausweise der Mitfahrer sowie den Schußwaffengebrauch mit ein. Diesen Bus benutzen zu können wird ein unvergleichliches Statussymbol sein, mit dem man vor der Liebsten beim ersten Rendezvous protzen kann. Und mit diesem Bus schwarzzufahren wird aufregender sein als jede andere Extremsportart.

---

* Ein Charakteristikum jeder Verwaltung. Die Verwaltung der englischen Segelmarine beispielsweise hatte zwei Jahre *nach* dem Ausflaggen des letzten Segelschiffes ihre höchste Anzahl von Mitarbeitern.

Beschleunigter Dialog

Ick sitz in der Küche und eß Klops. Uff eemal klopts.
Ick kieke, staune, wundre mir – uff eemal isse uff, die Tür.
Nanu denk ick, ick denk: nanu. – Nu isse uff, grad warse zu.
Ick jee raus und kieke. – Und wer steht draußen? Icke.

Alle sind sich darüber einig, daß die Berliner komisch
sind. Manche halten sie sogar für humorvoll. Schlagfer-
tigkeit und Mutterwitz werden ihnen unterstellt, aber
auch Frechheit und eine mindestens gewöhnungsbe-
dürftige Direktheit. All das ist richtig, und die Berliner
Sprache hat einen nicht unerheblichen Anteil daran.

Stärker als den meisten anderen deutschen Mund-
arten haftet dem Berlinischen etwas Proletarisches an.
Daher wurde und wird sein Gebrauch in allen Schulen
streng untersagt. Wer im alten Westberlin etwas auf sich
hielt, hatte es sich abgewöhnt beziehungsweise gar nicht
erst angewöhnt, und es berlinerten eigentlich nur noch
soziale Problemfälle oder Berliner Urgesteine. Man

sprach eine nordwestdeutsch geprägte Version des Hochdeutschen mit viel »halt« und »ne?« überall.

In Ostberlin berlinerte jeder, der konnte. Die Sprache von Volkspolizei und Politbüro war eher südostdeutsch geprägt und das Berlinern eine Art der Abgrenzung. Ein feiner Unterschied bestand vielleicht darin, daß einige der Intellektuellen zur Not hochdeutsch sprechen konnten. Aber in allen sozialistischen Schulen war Berlinern untersagt, obwohl dieser Kampf der Lehrer in manchen Berufsschulen wenig aussichtsreich gewesen sein wird.

Nach der Wende spielte sich am Beispiel der Sprache ein typisches Exemplar eines Wiedervereinigungsprozesses ab. Zunächst stellten beide Seiten überrascht ihre Unterschiede fest. Studenten fanden sich gemeinsam im Bett wieder, um am nächsten Morgen erschreckt festzustellen, daß der eine proletenhaft berlinert und die andere so affektiert hochdeutsch spricht. Dann bemühten sich die Ostberliner darum, Hochdeutsch zu lernen. Das war nicht leicht, aber schließlich wollte man mitspielen. Nach einer Weile merkten sie, daß sie niemals richtig Hochdeutsch können würden, und zogen sich trotzig auf ihr altes Stadtgebiet zurück, um dort in Ruhe zu berlinern. Weil aber im Osten am meisten los war und die Wohnungen billig, zogen die Neuzugänge am liebsten nach Ostberlin. Dadurch verbreitete sich die Annahme, daß der Berliner eben berlinert, man begann, sich auch ein paar der Ausdrücke anzugewöhnen. Ein bißchen zu berlinern galt sogar als schick. Aber in Schule, Universität, Bewerbungsgespräch und bei anderen offiziellen Gelegenheiten sprach man weiter hochdeutsch. Vielleicht kann man den so entstandenen Kompromiß auf die folgende Formel bringen: Wenn man sich die Haare gekämmt hat, bemüht man sich, hochdeutsch zu sprechen. Wenn nicht, dann darf man auch berlinern.

Was aber hat es mit diesem umstrittenen Dialekt auf sich? Was macht ihn so attraktiv? Für den Berliner ist die Sprache eine Art Waffe. Er schleudert seinem Gegenüber gern schnelle, flache Verbalwurfscheiben ins Gesicht. Sie werden kurz im vorderen Bereich der Mundhöhle geformt und dann mit viel Luft herauskatapultiert. Zum Beispiel sagt er lieber »Schnauze!«[*] statt »Klappe!«, »Keule« statt »Bruder« und »icke«[**] statt »du«. Die Vorliebe für diese kurzen, schnittigen Wörter läßt sich auch sehr anschaulich an den Lehnwörtern ablesen, die Eingang in die Berliner Sprache gefunden haben, Worte wie »messitsch«[***], »Datsche«[****] oder »meschugge«[*****].

Doch mit seinen verbalen Waffen sucht der Berliner mitnichten die Niederlage des Gegenübers, er sucht den Wettkampf, die sportliche Auseinandersetzung. Nachdem zwei Berliner sich so angeschrien haben, daß die Bordsteine zittern und ein auswärtiger Beobachter den Eindruck haben könnte, hier stehen sich zwei auf den Tod verfeindete Menschen gegenüber, wird sich dieser Beobachter wundern, beide Schreihälse mit einem Aus-

---

[*] Übersetzt etwa: »Könntest du deine interessanten Ausführungen für einen Moment unterbrechen?«
[**] Erstes Personalpronomen Singular, Ausdruck von Stolz und empfundener Größe, eigentlich unübersetzbar, aber am ehesten noch dem »Ich« im Hochdeutschen entsprechend.
[***] Berlinisch für »message«.
[****] Russisch: Sommerhäuschen.
[*****] Jiddisch: geistig verwirrt.

druck tiefster Zufriedenheit auseinandergehen zu sehen. Falsch ist es auf jeden Fall, schlichtend in das Geschrei einzugreifen. Dann würde man von beiden Kontrahenten erst mal *richtig* angeschrien – und alle drei gingen unglücklich auseinander.

Die vieldiskutierte Rechtschreibreform ist eine lächerliche Sandkastenübung im Vergleich zu dem heftigen Kampf, den die Berliner seit Jahrzehnten mit dem Hochdeutschen und insbesondere seiner aggressivsten Vertreterin, der deutschen Grammatik, austragen.

Und wir reden hier nicht über Mundart. Jeder deutsche Dialekt hat seine Eigenheiten. So kann man die verschiedenen deutschen Landstriche auch danach unterteilen, was sie mit dem »R« machen. In wenigen Regionen wird es überhaupt ausgesprochen, so ersetzen die Rheinländer es gern mit einem harten »ch«. Die Berliner lassen es einfach weg, zu kompliziert. »Ick bin Balina«. Aber wie gesagt, darum soll es nicht gehen. Wir reden von einer Grammatikverweigerung gigantischen Ausmaßes. Akkusativ, Dativ werden nach dem Lotterieprinzip ausgewählt, der Genitiv ist weitgehend überwunden. Artikel und Pronomen werden ebenfalls »irgendwie, irgendwo, irgendwann« benutzt, um ein Lied der bekannten, aus Hagen stammenden Berlinerin Nena zu zitieren. Auch die Zuordnung von Hauptwörtern zu den Geschlechtern weiblich, männlich, sächlich wird in dieser Stadt von jedem Bewohner täglich neu vorgenommen. Dazu kommt, daß ein Verb für den Berliner kein Verb ist, solange ihm das Hilfsverb »tun« nicht beigeordnet wurde. »Tun« ist für die Berliner Verben das, was Stützräder für das Fahrrad eines Vorschulkindes sind: praktisch unerläßlich. So darf man sich nicht wundern, den Satz »Das darf man nicht machen tun!« auf den Straßen dieser Stadt zu hören.

Meiner Meinung nach illustriert der folgende Witz die Lage der Dinge trefflich: Vor der Humboldt-Universität ist eine Baustelle. Unter den Bauarbeitern bricht ein erbitterter Streit darüber aus, ob es nun »den« oder »dem« heißt. Da sieht einer der Arbeiter einen älteren Herrn auf die Universität zulaufen. Er sagt zu seinen Kollegen: »Den werick ma fragn« und läuft zu dem Mann. »Tschuljung, abeitn se hia?« fragt er. »Ja«, bestätigt der Mann. »Ich bin ein Professor.« – »Dit is jut. Denn könne mia bestimmt sagn, obet ›den‹ oda ›dem‹ heeßn muß.« – »Nun ja«, sagt der Professor, »das kommt ganz darauf an. In Verbindung mit dem Dativ sollte man ›dem‹ sagen, im Verbindung mit dem Akkusativ hingegen ›den‹. Es gibt zwar noch ein paar Sonderfälle, aber als kurze Antwort sollte das reichen.« – »Jut, danke«, sagt der Bauarbeiter und geht zurück zu seinen Kollegen. »Und wat hatta jesagt?« fragen die. Der Bauarbeiter winkt nur ab: »Ach, der weeset ooch nich.«

Keinesfalls ist der Grund für diese Unzulänglichkeiten in mangelnder Übung zu finden. Die Berliner sind ungeheuer kommunikativ. Man wird im Bus, in der Fleischerei, auf Hochzeiten und in Fahrstühlen angesprochen. Es wird einem mitgeteilt, wie das Wetter ist, wie dem Redner der eigene Pullover und der seines Gegenübers gefallen und in welchem Zustand sich die Ehe des Redners befindet. Das geht bis hin zur Besonderheit, daß einem in Berlin fortwährend von wildfremden Leuten mitgeteilt wird, wo man sich gerade *nicht* befindet. Das Großartige an dieser Kommunikationstechnik ist, daß einem auf diese Weise niemals der

Gesprächsstoff ausgeht, weil der aktuelle Ort an sich zwar immer nur begrenzt ist, aber die Zahl der Orte, an denen man sich dadurch nicht befindet, praktisch unendlich. »Das ist hier kein Fahrradweg«, wird dem Radfahrer gern hinterhergerufen. »Wir sind hier nicht in Istanbul«, erfährt der orientalische Besucher ungefragt. »Das ist hier keine Telefonzelle«, ist eine Information, über die mancher Mobiltelefonist sich schon dankbar gefreut haben mag. »Das ist hier keine Wärmestube«, erfährt der Konsument einer Tasse Tee nach kurzer Zeit vom Wirt.

Der Berliner tut alles, um nur richtig meckern zu können. Positiv gesehen, könnte man den Eindruck gewinnen, daß sie rein gar nichts unterdrücken und daher psychisch recht gesund sein müßten. Die Seele reinigende, sozusagen kathartische Rituale wie eine wöchentliche Beichte oder ein Bad im Ganges sind daher nicht nötig, denn der Berliner unterdrückt keine Gefühlsregungen. Das Problem ist eben nur, daß er vielleicht doch manchmal einen Tick mehr los wird, als unbedingt notwendig gewesen wäre, und man sich bei solchen Gelegenheiten die zur Schau getragene Freundlichkeit und Diskretion anderer Landstriche wünschen würde. Und wenn man schon keine Geheimnisse hat, so denkt der Berliner, dann muß man sie auch vor niemandem haben. Daher sind die Hinterhöfe von Berliner Mietshäusern* traditionell ein beliebter Ort der Kommunikation.

---

* Angeblich ist die Mindestgröße dieser Höfe durch den Wendekreis der alten, pferdegezogenen Feuerwehrwagen bestimmt. Wer aber einmal an einem Sonntagvormittag an der beispiellosen Akustik die-

Das funktioniert heute noch genauso wie vor hundert Jahren, als habe es solche Dinge wie die Entwicklung von Telefonen nie gegeben. Margitta hängt sich aus ihrem Hoffenster im zweiten Stock und ruft laut Ediths Namen. Nach einer Weile öffnet die ihr Fenster im vierten Stock und legt sich möglichst bequem auf ihre Fensterbank. Und im Folgenden kann jeder, der ein Fenster zu diesem Hof hat, mithören, daß Margitta jetzt endlich ihren Helmut rausgeschmissen hat, weil der immer so viel gesoffen und sie dann abends im Suff verprügelt hat. Und daß Edith das gut findet, weil der Helmut ein ganz falscher Fuffziger ist, was sie der Margitta schließlich schon immer gesagt habe. Wie gesagt, jeder, der ein Fenster zu diesem Hof hat, kann dieses Gespräch mithören, egal, ob er dieses Fenster geöffnet oder geschlossen hat, ob er will oder nicht. Jeder. Würde man Margitta und Edith fragen, warum sie sich denn nicht einfach einmal besuchen, würden sie einen wahrscheinlich nur verständnislos anblicken. Das ist so, als würde man zwei Argentinier fragen, warum sie sich denn beim Tango nicht mal in die Augen schauen.

Aber zurück zur berühmten Berliner Unfreundlichkeit. Sie ist eine Illusion, eine Fehleinschätzung, nicht existent. Sicher, die Umgangsformen sind rauh. Ich erinnere mich, wie ich nach einem längeren Aufenthalt im leisen Stockholm wieder in einer Schlange vor einer Berliner Kasse stand und vor mich hinträumte. Plötzlich bemerkte ich, wie hinter mir eine Naturgewalt heranbrauste, ich wurde abrupt an der Schulter herumgerissen

---

ser Orte teilhaben durfte, weiß, daß akustische Maximierung das eigentliche Ziel der Erbauer war.

und lautstark angebellt. Ich schreckte zurück, meine Einkäufe fielen mir aus der Hand. Mit vom Schrecken geweiteten Augen sah ich noch, wie ein Mann an mir vorbei den Laden verließ. Als der Schock langsam verebbte, registrierte ich, daß er mir lediglich »Kann ick mal bitte durch?« ins Ohr gebrüllt hatte. So ist es: Die Form ist rauh, aber der Inhalt ist pure Höflichkeit und Anteilnahme.

Diese Erkenntnis heißt nach ihrer Entdeckerin das »Böhlsche Paradigma«. Folgende Situation: In zwei hypothetischen Städten steht ein Bus an der Haltestelle, die eine Stadt ist Berlin, die andere Köln oder München oder Dresden. Von sehr weit hinten kommt ein Passagier angehetzt. In Köln schließt der Bus die Türen und fährt ab. In Berlin wartet der Busfahrer mit offener Tür, und wenn der abgehetzte Fahrgast sich dann im Bus befindet, beschimpft ihn der Busfahrer, daß sich der Fahrgast einen Wecker kaufen solle, daß er mit diesem lahmen Tempo niemals beim Berlin-Marathon mitlaufen könne und daß er jetzt bloß nicht wagen solle, das Fahrgeld nicht passend zu haben. Aber ich frage: Wer hat es besser, der unbeschimpfte Kölner, der im Regen an der Haltestelle auf den nächsten Bus wartet, oder der Berliner, der pünktlich zur Arbeit kommt?

Ein echter Tip für Touristen ist es, in Berlin einen Einheimischen beispielsweise auf die aktuelle Hundeverordnung der Stadt anzusprechen. Oder das Wetter. Oder die Regierung. Es ist nahezu egal. Wenn sich der Berliner warmgeschimpft hat, läßt man unauffällig einfließen, daß man noch stundenlang zuhören könnte, jetzt aber in sein Hotel müsse. Dafür daß er weitermeckern darf, wird er den Besucher gern bis zum Hotel begleiten.

Man sieht also, es gehört viel mehr zum Berlinern als »icke«, »dette« oder »kiek mal«. Es gibt noch Unterformen des Berlinerns, die hier nur angedeutet werden sollen. So ist das Spandauer Idiom weicher, und eine an das Hochdeutsche angelehnte Grammatik ist zu erahnen. Hingegen ist das Lichtenberger Berlinisch härter und davon geprägt, »ch« als »sch« auszusprechen (»Lischtenberg«, »Schemie«), während das Pankower Berlinisch sehr traditionell ist und die meisten Lehnwörter aus dem Jiddischen kennt.

Sollte jetzt beim unverständigen Leser der Eindruck entstanden sein, daß irgend etwas vom Obenstehenden als Kritik an der Berliner Sprache gemeint ist, so liegt ein schreckliches Mißverständnis vor. Die Schönheit des Berlinischen erschließt sich wie die Schönheit der ganzen Stadt frühestens auf den zweiten Blick. Ein großer Vorzug ist es, daß das Berlinische erfreulich resistent gegen politische Beeinflussung zu sein scheint. Die Nazis haben das Jiddische darin nicht verbieten können, das Politbüro konnte keine sozialistischen Floskeln etablieren. Die Berliner Zunge sucht sich selbst aus, welche Wörter und Wendungen aufgenommen werden.

So hat Berlin eine lange und für die Stadt stolze Geschichte von Politikern, die zwar von dieser Stadt aus regieren wollten, aber offenbar eine andere Stadt wollten. Berühmt wurde der »Berliner Unwille«, eine Auseinandersetzung zwischen Kurfürst Friedrich II. und den Berliner Bürgern, die unter anderem den Bauplatz für das Stadtschloß unter Wasser setzten. Die Preußenkönige bauten die ganze Stadt um: vom Schloß für den König, der in unmittelbarer Nachbarschaft seine Pferde, seine Waffen und seine Kinder haben wollte und, nach diversen anderen Gebäuden, schließlich das Schloß für die Frau am anderen Ende der Stadt. Hitler sah Berlin als »Sündenbabel« und wollte die ganze Stadt nahezu abreißen und seine gigantomane Phantasiestadt »Germania« an ihre Stelle setzen. Glücklicherweise war dieses Vorhaben erst für nach dem »Endsieg« terminiert, obwohl Speer schon überall in der Stadt große Betonkörper aufgestellt hatte, um die Bodenfestigkeit für seine Entwürfe zu untersuchen. Die DDR baute die Berliner Mauer, und unter Helmut Kohl entstand das neue Regierungsviertel, das mitten in der Stadt und doch nirgendwo zu sein scheint. Das Kanzleramt, zu dem die Berliner trotz hartnäckiger Bemühungen der Presse immer noch nicht »Waschmaschine« sagen, ist achtmal so groß wie das Parlament; die Wohngebäude für die Abgeordneten sind schlecht ausgelastet, weil man die Abgeordneten immer noch nicht dazu zwingen kann, in Silos zu wohnen, und sie lieber eine richtige Wohnung in einem richtigen Stadtteil beziehen.

Die Berliner Sprache ist also eine hochkomplexe Materie, an der man sich als Außenstehender nicht versuchen sollte. Der Besucher hat es so gut. Und das hat gute Gründe. Denn er darf sich in die Mitte einer vielbefahrenen Kreuzung stellen, seinen Riesenstadtplan entfalten und fragend in alle Himmelsrichtungen schauen. Er darf seinen Fotoapparat nehmen und mit den Japanern um die Wette knipsen. Er kann stundenlang mit gerunzelter Stirn das Tarifsystem der Berliner Verkehrsbetriebe studieren, ohne zu bezahlen, und dem Kontrolleur glaubhaft versichern, daß er gern bezahlen würde, sobald er es verstanden hätte. Aber: der Besucher sollte schwäbeln, sächseln oder plattdeutsch sprechen, was das Zeug hält. Er bekommt vom Bäcker auch dann eine Schrippe, wenn er sich ein Brötchen, Wecken oder Rundstück bestellt. Unverzeihlich ist nur eines: wenn ein Tourist so wenig Tourist sein möchte, daß er zu berlinern probiert. Das gibt schneller Lokalverbot*, als einem lieb ist, und zwar zu Recht.

---

* In der DDR gab es tatsächlich die Strafe des »Berlin-Verbots«, das man gern gegen politisch mißliebige Bürger aussprach. Man durfte dann bei Androhung von Gefängnisstrafe das Gebiet der Hauptstadt für eine bestimmte Anzahl von Jahren nicht betreten. Aber keine Angst, diese Zeiten sind vorbei.

Rostberlin

Mal ehrlich: Haben Sie nicht auch genug von dem ganzen Ost-West-Gerede? Wahrscheinlich haben Sie schon lange genug von dem ganzen Ost-West-Gerede. Aber wie soll man eine brauchbare Gebrauchsanweisung für eine Stadt verfassen und gleichzeitig das prägende Charakteristikum dieser Stadt ignorieren? Wie soll man über Jerusalem schreiben, ohne Juden und Araber zu erwähnen, wie soll man über St. Petersburg reden, ohne von Lenin zu sprechen? Vielleicht ist das eines Tages möglich, aber derzeit kommt man noch nicht darum herum.

Wer von Berlin erzählen möchte, ohne die mehr als vierzigjährige Trennung der Stadt zu erwähnen, ist bestimmt Mitglied irgendeiner sich im Wahlkampf befindlichen politischen Partei und spricht gerade im Fernsehen. Denn nach einer kurzen Zeit, in der jedermann krampfhaft betonte, wie unwesentlich für ihn die Unterschiede zwischen Ost und West seien, hat man sich jetzt mental wieder vollkommen hinter die Grenzen von 1988 zurückgezogen. Vierzehnjährige Nachwendekinder bezeichnen sich als »Ostler« oder »Westler«, je nachdem, auf welcher Seite der nicht mehr vorhandenen Mauer sie geboren wurden. Einem Berliner Künstler, der unlängst verlautbaren ließ, er wolle kein ost- oder westdeutsches, sondern deutsches Theater machen, wurde höhnisch »Blauäugigkeit« vorgeworfen. Mit der einzigen Ausnahme der *Berliner Zeitung*, die angeblich in beiden Stadtteilen gelesen wird, herrscht auch bei den Zeitungen eine klare Zuordnung: Der Ostberliner liest den *Berliner Kurier*, dessen Werbezeile »Der von hier« nur für den Touristen unverdächtig erscheint, der Westberliner liest den *Tagesspiegel* oder vielleicht die *taz* und mit Sicherheit die *BZ* aus dem Hause Axel Springer. Und weil das so ist, haben diese Zeitungen längst ihr Werben um die Leser aus den anderen Stadtteilen eingestellt und beziehen in Auseinandersetzungen stets die Ost- oder die Westposition.

Auf Jalta im Schwarzen Meer vereinbarten im Februar 1945 die späteren Siegermächte, Berlin als eine Art Schreibtisch zu benutzen, an dem man die Geschicke des späteren Kriegsverlierers Deutschland verhandeln würde. In meiner Kindheit verstand ich nicht, warum sich Russen und Amerikaner an der Elbe getroffen, dann aber die Stadt an der Spree miteinander geteilt hatten. Man kann dem georgischen Verbrecher Stalin unendlich viel vorwerfen, aber ausgerechnet diesen Vertrag brach er nicht. Er gab jeder der Westmächte einen Sektor in der von den Russen eroberten Reichshauptstadt ab.

Sehr bald nach der Teilung der Stadt in diese Sektoren

konnten die Berliner erkennen, wo die Mauer stehen würde. Obwohl das Bauwerk erst sechzehn Jahre später gebaut wurde, entwickelten sich die Stadtteile vollkommen unterschiedlich. Auf der einen Seite gab es amerikanische Kinofilme und Wirtschaftswunder, auf der anderen die planmäßige Entwicklung des ersten Arbeiter-und-Bauern-Staats. Aus heutiger, verklärter Sicht erscheint es rätselhaft, daß angesichts eines Walter Ulbricht und seiner Genossen überhaupt noch sechzehn Millionen Menschen bis zum Mauerbau in der DDR verblieben.* Aber wenn man sich um einen vorurteilsfreien Blick bemüht, waren die westliche Alternative Adenauer und die Maxime der Besitzstandswahrung offensichtlich für ausreichend viele Menschen auch nicht attraktiver.

Und mit Sicherheit spielte Heimatverbundenheit eine große Rolle. So war es eben nicht nur der Thüringer, der seine Berge und Täler nicht verlassen wollte, sondern auch für den Köpenicker war es unvorstellbar, sein Dahme-Knie und den Müggelsee zu verlassen, um nach Steglitz zu ziehen. Ganz aus Berlin wegzuziehen war für die meisten ohnehin unvorstellbar.

Wie auch immer, durch die Teilung entstand »Berlin, Hauptstadt der DDR«, wie der offizielle Titel Ostberlins bis 1989 lautete. Auf jedem Straßenschild, in jedem Zei-

---

* Damals gab es einen Witz, in dem Walter Ulbricht Mao Tse-tung in China besucht. Die beiden spazieren durch Maos Garten und führen ein offenes Gespräch. »Und, Genosse Mao«, fragt Ulbricht den Großen Vorsitzenden. »Wie viele deiner Menschen sind gegen eure Politik?« Mao wiegt nachdenklich den Kopf, bevor er eine Antwort gibt. »Na ja, vielleicht so sechzehn, siebzehn Millionen.« Ulrich nickt heftig mit dem Kopf. »Ach ja, genau wie bei uns.«

tungsartikel und noch auf jedem Souvenirteddybären wurde es so geschrieben. Eher ließ man das Wort »Berlin« als den Zusatz »Hauptstadt der DDR« weg. Der Zusatz wurde deshalb so betont, weil der Hauptstadtstatus eigentlich gegen das Abkommen von Jalta verstieß. Der Ostberliner Bär schaute nach links. Der andere Teil der Stadt wurde »Westberlin« genannt. Es gab stets genügend Platz, den Namen auf den linken Teil des Stadtplans zu drucken, denn Westberlin war dort nur als geographisches Ödland, ohne Straßen, Bahnlinien oder Flughäfen, verzeichnet. Lediglich die Flußverläufe und die wenigen Erhebungen waren korrekt kartographiert. Ostberliner Entdecker hätten auf die Idee kommen können, daß vor ihrer Haustür noch weiße Flecken auf der Landkarte existierten, aber entsprechende Forschungsexpeditionen waren spätestens nach dem Bau der Mauer lebensgefährlich.

»Westberlin«, es wurde immer betont, daß dieses Gebilde überhaupt nichts mit der BRD zu tun habe. Die SED wollte Westberlin zu einem eigenen Staat aufwerten, man sprach immer von der »Drei-Staaten-Lösung« des deutschen Problems. So wurden bei Dokumentarfilmvorführungen in der Akademie der Künste stets »Filme aus 23 Ländern und Westberlin« gezeigt. Im stillen bestand vielleicht die Hoffnung, daß man durch diesen Sprachgebrauch irgendwann vergessen würde, daß Westberlin Teil derselben Stadt war, so wie man vergessen hat, daß das für New York namensgebende York ein kleines nordenglisches Städtchen ist.

Aber es klappte nie. Die Hauptstadtbewohner sprachen von Ostberlin, wenn sie sich meinten, und vom Westen, wenn sie träumten.

Die Verhältnisse in Ostberlin waren immer etwas anders als im Rest der Republik – und zwar besser. Einerseits residierten hier Regierung der DDR und Parteiführung der SED. Man wollte nicht, daß die Bonzen nach ihren anstrengenden, mehrstündigen Reden über den nahenden weltweiten Sieg des Sozialismus und die Prosperität der Bürger durch abbruchreife Häuserzeilen ins heimatliche Wandlitz bei Berlin fahren mußten. Also wurde mehr saniert, renoviert und gebaut als anderswo. Außerdem wußte man um das historisch immer relativ unverblümte Schandmaul der Berliner, das vor den aktuellen politischen Verhältnissen stets nur wenig Respekt hatte. Folglich lieferte man den Großteil der importierten Bananen, Autoersatzteile und Farbfernseher in die Ostberliner Geschäfte, damit die Leute Bananen aßen, statt zu meckern. So hatten sie genug Energie, um minutenlang an den roten Fußgängerampeln auszuharren, die per Hand auf Rot geschaltet wurden, wenn Regierungsfahrzeuge passierten.

Und schließlich saßen in Ostberlin alle Auslandskorrespondenten, auch die der Feindsender. Ihnen sollte vorgegaukelt werden, wie schön der Sozialismus war. Die Korrespondenten der Freundesländer mußte man ja nicht überzeugen. So schön wie in Ostberlin war der Sozialismus tatsächlich nirgendwo. Denn die DDR wurde als Grenzland zwischen den Systemen vom ganzen Ostblock materiell unterstützt, und durch die große Nähe zum Westen und seinen Medien gab es auch politische Freiheitsgrade, die weiter östlich schwer vorstellbar waren.

Viele Ostdeutsche wollten nach Ostberlin. Das war das beste Mittel gegen klaustrophobische Beklemmungen, sich in einem kleinen Land mitten in Europa eingesperrt zu fühlen.* Am schlimmsten war es nach den vorsichtigen politischen Öffnungen in Polen und den Botschaftsbesetzungen in der ČSSR. Damals konnten die Bürger der DDR ohne gültiges Visum in kein einziges Land der Welt reisen.** Aber Unter den Linden flanierten immer ein paar echte Ausländer entlang, und mit etwas Geschick konnte man sich einen von ihnen anlachen und vielleicht auf diese Weise sogar einmal legal und lebend das Land verlassen. Oder wenigstens davon träumen. In den Windschluchten der Neubaugebiete von Hoyerswerda jedenfalls war an so etwas nicht zu denken.

Besonders zu den hohen Feiertagen, also vor Weihnachten und den Parteitagen der SED, wenn die Läden wieder besonders gut gefüllt waren, kamen die Bewohner der ganzen DDR nach Ostberlin, um einzukaufen. Die Ladenbesitzer reagierten souverän, indem sie die wirklich attraktiven Waren für ihre Berliner Stammkundschaft unter den Ladentisch legten und den Sachsen und Fischköppen nur den alten Plunder verkauften. Trotzdem füllten die Besucher ihre Koffer und Kofferräume und erzählten zu Hause der staunenden Dorfbevölkerung von ihrer Reise in das sagenumwobene

* Ein natürlich hochgradig illegales Schmählied, das seit den siebziger Jahren kursierte, beschrieb diesen Umstand folgendermaßen: »Tausend Meter im Quadrat, Minenfeld und Stacheldraht. Jetzt wißt ihr, wo ich wohne: Ich wohne in der Zone.«
** Ein Freund von mir stellte damals einen »Antrag auf Ausreise aus der Deutschen Demokratischen Republik«. Er schrieb in seiner Begründung, daß er nicht so lange warten wolle, bis er »auch noch für eine Reise nach Dresden einen Visumsantrag« stellen müsse.

Schlaraffenland namens Berlin. Das Ganze trug nicht gerade zur Klimaverbesserung bei, und wenn man mit einem Berliner Nummernschild in Sachsen parkte, konnte es passieren, daß am nächsten Morgen plötzlich alle vier Reifen unerklärliche Löcher hatten.

Und doch ging das Konzept der Regierung nicht auf. Die Ostberliner erwiesen sich als echte Berliner, blieben weiter unzufrieden, saßen an den Kneipentischen und meckerten über den »Scheißosten«. Man sah die vielen Touristen aus dem Westen, man konnte in den »Intershops« die bunte Warenwelt des Westens bestaunen und hatte zum Vergleich die grauen Papiertüten im Konsum. Noch für den Besuch einer Müllkippe für Abfall aus dem Westen mußte man das Aufsichtspersonal bestechen. Dann wühlten die Ostberliner ehrfurchtsvoll in den Westberliner Exkrementen und konnten sich kaum vorstellen, was das für eine herrliche Welt war, aus der noch der Abfall schöner war als das, was es in den eigenen Läden für Geld zu kaufen gab. Bei allem politischen Gerede unterschätze man nicht die Macht des Neides. Man träumte vom Goldenen Westen, in dem es Jeanshosen, Walkmen und Freiheit gab.

Die Enttäuschung nach dem Mauerfall hätte nicht größer sein können. Anfangs lief es noch gut. Für eine Wartezeit, in der man sonst höchstens ein Kilo Orangen bekommen hätte, bekam der Ostberliner 100 Westmark und durfte damit machen, was er wollte. Die Betriebe wurden geschlossen, statt eines lächerlichen Ostmark-Lohns wurde die Arbeitslosenhilfe in West ausgezahlt, und man durfte dafür sogar zu Hause bleiben, mußte nicht jeden Morgen aufstehen und an lächerlich veralteten Maschinen Ausschuß produzieren. Das war gut, denn die Ostberliner brauchten ja die Zeit, um kostenlos mit der BVG durch den neu hinzugewonnenen Teil der Stadt zu fahren. Kam ein Kontrolleur, zeigte man einfach den Ostausweis vor. Und wer unbedingt Arbeit haben wollte, der bekam auch welche. Alsbald wurde mit Westautos durch die Gegend gefahren. Die noch im Osten einen Golf gekauft hatten, schauten neiderfüllt den neuen Audis hinterher. In die Häuser wurden ordentliche Heizungen eingebaut, es mußten keine Kohlen mehr geschleppt werden, und die Stadt stank nicht mehr so nach Hausbrand. Die Kinder konnten alle Abitur machen, schrieben sich für ein Studium ein und lernten dann, kenntnisreich zu kiffen. Dafür bekamen sie BAföG, auch sie hatten es geschafft. Zugegeben, alle sollten weiter zur Armee, aber neun Monate lang einen Schonposten mit Wochenendurlaub, Bundeswehrbeauftragtem, weiblichen Mitsoldaten und Westpanzern, wen sollte das schon schrecken?

Doch letztendlich sah man, daß Westberlin auch nicht besser war als der Rest der Stadt. Auch in den Geschäften dort feilten sich gelangweilte Verkäuferinnen die Fingernägel und riefen einem das gelangweilte »Ham wa nich« zwischen den kaugummikauenden Zähnen entgegen. Wann ist es schiefgelaufen, was ist passiert? Mir scheint, als wären plötzlich alle in einen Alptraum hinein aufgewacht. Vielleicht ging es mit den Preiserhöhungen der BVG los, oder war es, als die Döner plötzlich doppelt soviel kosteten? Hätten wir uns früher gegen die Zeichen wehren sollen, vielleicht dafür sorgen sollen, daß die Touristen den verpackten Reichstag gleich im ganzen mitnahmen? Nicht nur der Eintritt für den Zoo am Kurfürstendamm kostete plötzlich neun Euro, sondern auch für den Tierpark in Lichtenberg. Wer ein bißchen zu lange studierte, bekam kein Geld mehr, wer viel zu lange studierte, mußte sogar Geld dafür bezahlen. Es entstanden Sondereinsatzkommandos gegen Schwarzarbeit, in den Taxis sollten elektronische Kissen die Fahrgastzahlen überprüfen, und die Restaurants blieben leer. Es gab keine Arbeitslosenhilfe mehr, nur noch die Sozialhilfe, die Arbeitslosengeld hieß. Und wenn man arbeiten ging, dann nicht die ersehnten fünfunddreißig, sondern vierzig Stunden lang, so wie im Osten.

Dafür war keiner auf die Straße gegangen, dafür hätte sich noch nicht einmal jemand auf der Toilette eingesperrt. Wir wollten das Westberlin aus dem Fernsehen, wir wollten Punk und Freibier, wir wollten eine armeefreie Zone, wir wollten gute Musik zu jeder Zeit, leckere Joghurts für wenig Geld, Berlin-Zulage, kostenlose Werbegeschenke an jeder Ecke und nicht diese grausame Realität.

Restberlin

Nach Abschluß aller Nachkriegsverhandlungen wollte die Sowjetunion 1948 gemäß dem Vertrag von Jalta die westlichen Teile Berlins wiederhaben. Die Stimmung der Westmächte hatte sich inzwischen aber sehr verändert, am prägnantesten sicher durch Winston Churchill zum Ausdruck gebracht, der öffentlich darüber nachdachte, ob man nicht »das falsche Schwein geschlachtet« habe. Also entschied man sich, den Vertrag zugunsten des höheren Guts der Freiheit zu brechen, und sagte zweimal »No« und einmal »Non« zu den Russen. Die Sowjetarmee versuchte daraufhin von Juni 1948 bis zum Mai 1949, Westberlin die Versorgungswege abzuschneiden, was zur Einrichtung der berühmten Luftbrücke durch die Westalliierten führte. Im Minutentakt landeten Flugzeuge, die alles nach Tempelhof flogen, was die Bevölkerung brauchte. Schließlich gaben die Russen auf, und in Westberlin knallten die Sektkorken. Diese Blockade war ein einschneidendes Ereignis und sollte zum Gründungsmythos von Westberlin werden. Bis spät in die neunziger Jahre hinein würde man in riesigen Lagerhallen Konserven und Milchpulver einlagern, falls die Sowjetarmee noch einmal eine Blockade wagen sollte, auch wenn zuletzt weder eine Sowjetarmee noch die Mauer überhaupt mehr existierten. Man kann ja nie wissen.

Weihnachten 1948 wurde im RIAS die Radiosendung »Der Club der Insulaner« zum ersten Mal ausgestrahlt, eine Art konservativer Kabarettsendung. Der Begriff »Insulaner« traf genau den Nerv der eingeschlossenen Westberliner, die am einzigen Ort der Welt ausharrten, von dem aus es in jede Himmelsrichtung nach Osten ging. Später wurden sie eingesperrt von einer Mauer, die sie offensichtlich beschützen sollte, denn die bewaffneten Wächter der Mauer drehten ihnen vertrauensselig die Rücken zu und schossen auf die anderen. Es war und blieb die klassische Situation des goldenen Käfigs. Der Begriff »Insulaner« blieb bestehen.

Berlin (West) nannte man sich, sah sich als Bundesland der BRD und entsandte wie selbstverständlich Abgeordnete nach Bonn, allerdings war man sicherlich das einzige Bundesland, in das russische Armeefahrzeuge problemlos ein- und ausreisen konnten. Der Bär der Westberliner schaute natürlich nach rechts, also in den Osten. Den anderen Teil der Stadt nannte man *Berlin (Ost)*, lange nachdem man es aufgegeben hatte, von dem umgebenden Land als der »Sowjetischen Besatzungszone« zu sprechen. Eine Ausnahme bildete lediglich die »Sozialistische Einheitspartei Westberlins« (SEW), eine hundertprozentige Tochter der ostdeutschen SED, die von ihrer Gründung 1961 bis 1969 sogar »SED in Westberlin« geheißen hatte. Ihr Zentralorgan, »Die Wahrheit« (russische Übersetzung: Prawda), hatte eine nominale Auflage von 20 000. Davon wurden aber nur weniger als ein Viertel in Westberlin verkauft, die große Mehrzahl ging in die »sozialistischen Bruderstaaten«, sprich: die DDR. Hier war sie heiß begehrt, was kaum an den interessanten politischen Thesen der »Wahrheit« lag. Wichtiger war, daß darin auch das West-Fernsehprogramm abgedruckt war.

So wie es sich die DDR zur Aufgabe gemacht hatte, Aushängeschild des Sozialismus zu sein, so machte es sich Westberlin zur Aufgabe, Aushängeschild und Speerspitze des Kapitalismus zu sein. Der Unterschied zwischen beiden Systemen bestand darin, daß eine große Fraktion von Westberlinern sich an dieser Aufgabe beteiligte, während die DDR-Regierung sich ohne wesentliche Beteiligung ihrer Bürger abmühte. Die Westberliner Radiosender strahlten mit riesigen Antennenanlagen ihre UKW-Programme in das gesamte Gebiet der DDR. Beim »Klingenden Sonntagsrätsel«, einer musikalischen Ratesendung des RIAS mit Hans Rosenthal, wurde jeden Sonntag eine andere Tarnadresse verkündet, an die Zuhörer aus dem Osten das Lösungswort schicken konnten. Regelmäßig verkündete ein Hörerkind, daß mit seiner unschuldigen Hand die Gewinner ausloste und sie mit seiner glockenhellen Stimme über den Äther schickte: »Und hier wieder eine Zuschrift aus dem Osten.« »Ja«, raunte dann Hans Rosenthal, »Stichwort ist: Bartnelke. Herzlichen Glückwunsch!« Mit einhundert D-Mark konnte man viele locken! Um zwölf Uhr mittags wurde immer das Geläut der Freiheitsglocke ausgestrahlt, über die ein Sprecher gebetsmühlenartig sagte: »Ich glaube an die Freiheit und an die Würde eines jeden Menschen.« Freiheit war ohnedies eine zentrale Vokabel. Zum Beispiel gründete man die Freie Volksbühne. Das war noch vor dem Mauerbau, und darum schickte Ostberlin eine Delegation Schreihälse zur Eröffnung, die immer wieder riefen: »Nicht frei! Nicht frei!«

Westberlin wurde als sogenannte »Frontstadt« großzügig von der westdeutschen Regierung unterstützt. Weil es hier keine Bodenschätze und keine nennenswerte Industrie gab und ein wesentlicher Teil der Infrastruktur aus der Transitautobahn durch die DDR bestand, wurden Massen von Subventionen nach Westberlin gepumpt. Leider begünstigte diese Pumpbewegung warmen Wassers die Entstehung einer Art Sumpfgebiet. Es war nämlich so: Bei der traditionell eher auf Sicherheit bedachten Beamtenschaft war eine Stelle im vom Feindesland umgebenen Westberlin nicht sehr begehrt. Also zahlte man auch ihm die sogenannte Berlin-Zulage. Mancher Beamter, der sich in seinem Heimatort nicht sonderlich bewährt hatte, wurde nach Westberlin wegbefördert.

Natürlich saßen Spitzenpolitiker nicht gern in der Enklave, weit weg vom eigentlichen Entscheidungszentrum in Bonn. Also gab es immer wieder die eine oder andere Unzulänglichkeit, den einen oder anderen Skandal in der Westberliner Politik. Aber keiner wollte etwas sagen, weil es ja um Größeres ging.

Sogar noch den Müll konnte man für einen lächerlichen Betrag jenseits der Mauer entsorgen. Wenn plötzlich die Erde in Westberlin zu beben begonnen, sich entlang der Mauer ein Spalt aufgetan und langsam, aber sicher die ganze Halbstadt abgehoben hätte und als Flugobjekt langsam ins All geflogen wäre, hätte das allerhöchstens leichte Verwunderung, vielleicht auch Verärgerung über die eine oder andere verschüttete Tasse Kaffee, sicherlich aber keine Angst oder Sorge in der Bevölkerung ausgelöst, und am nächsten Morgen wäre die Schlagzeile der *BZ* gewesen: »Irre! Für 1,– DM mit der BVG durchs Weltall«.

Tragischerweise wirtschaftete man in Berlin nach dem Ende der DDR noch ein paar Jahre so weiter, als säße man auf einer Insel. Im Ergebnis verschuldete man die Stadt auf mehrere Generationen hinaus. Wenn es in anderen Gemeinden Begrüßungsgelder für neugeborene Mitbürger gibt, so kann Berlin damit locken, daß jedes kleine Kind rechnerisch sofort mit einigen tausend Euro Schulden belastet ist.

In den sechziger Jahren entstand eine explosive Mischung in der Stadt. Einerseits gab es die alteingesessenen »Insulaner«, konservativ geprägte Westberliner, die politisch vom Schrecken der Blockade geprägt waren. Andererseits waren im Lauf der Jahre unzählige junge, eher linke Menschen nach Westberlin gezogen. Insbesondere Wehrdienstverweigerer wurden natürlich von der Stadt angezogen, weil man hier aufgrund des alliierten Status nicht zur Armee einberufen werden durfte. Und viele dieser Menschen waren gekommen, um zu bleiben. Die Wehrdienstverweigerer mußten. Etliche Studenten verpaßten aufgrund langer Nächte ihre morgendlichen Veranstaltungen an der Uni und verlängerten ihr Studium Semester um Semester. Spätestens wenn die Eltern oder später auch das BAFöG-Amt dann nicht mehr zahlen wollten, begann man zu jobben, was die Beendigung des Studiums noch schwerer machte. Es entwickelte sich eine ganze Schicht von Menschen, die sich irgendwo zwischen einem Studium befanden, das sie noch nicht ganz aufgegeben hatten, und einem Beruf, den sie selbst nur als Übergang ansahen.* Dazwischen standen viele, vor allem aus der Türkei stammende Ausländer, die von den »Insulanern« mit Mißtrauen betrachtet und von den Studenten oft unkritisch geliebt wurden.

Gegen den Vietnamkrieg protestierten die linken und pazifistischen Studenten so lautstark wie in kaum einer anderen Stadt. Aber auch die Konterrevolution der »braven Bürger« war wohl nirgendwo so heftig und gewaltsam. Man fürchtete, die linkskommunistischen Studenten würden die Stadt, um die »wir während der Luftbrücke unter Hungersnot gekämpft haben«, an die Kommunisten verschenken wollen. Die Kritik an den USA wurde mit Entsetzen wahrgenommen. Die Amerikaner hatten für Westberlin die Freiheit definiert, geschaffen und verteidigt, Kritik an ihnen galt als nahezu gotteslästerlich. Kleinere Mißverständnisse in Südostasien sollten die USA innenpolitisch klären, und es schien anmaßend, daß langhaarige deutsche Studenten daran Kritik übten. Im Gegensatz zu vielen anderen Städten, in denen sich die Lage schneller beruhigte, ging

---

* Bei einem Ferienjob am Anfang meines Studiums traf ich Klaus, der sich mir als Architekturstudent vorstellte. »Und, in welchem Semester studierst du?« fragte ich ihn. »Im sechsundzwanzigsten«, entgegnete Klaus. Ich war voller Ehrfurcht, weil ich gerade mühsam zwei Semester absolviert hatte und mir kaum vorstellen konnte, über wieviel Wissen man erst nach sechsundzwanzig Semestern verfügen mußte!

diese Auseinandersetzung noch lange weiter. Ende der Siebziger wurden die ersten Häuser besetzt, und die Tradition der revolutionären 1.-Mai-Demonstrationen entstand.

Die Westberliner Mischung von scheinbar absoluter Freiheit innerhalb einer Betonmauer, von Stadt ohne Staat,* von linken Spinnern in einer konservativ geprägten Stadt, vom mondänen Kurfürstendamm, den man am besten vom drogenverseuchten Bahnhof Zoo erreichen konnte, diese Mischung war für Künstler aller Sparten von ungeheurer Anziehungskraft. Von hier kamen wichtige Impulse in der Literatur, Kunst und natürlich der Musik. David Bowie, Iggy Pop und Brian Eno wohnten in Schöneberg, Günter Grass in Berlin-Friedenau, Joseph Beuys stellte hier aus, »Die Einstürzenden Neubauten« erfanden die Begleitmusik zur Industrialisierung der Welt, und eines der wichtigsten Zentren der »Neuen Deutschen Welle« war hier. Fast unnötig zu erwähnen, daß natürlich auch die neue Kunst des Graffitti nirgendwo besser gedeihen konnte als hier in Westberlin, wo die ganze Stadt von einer großen Mauer durchzogen war.

Allen Westberlinern war gemeinsam, daß sie nur selten den Ostteil der Stadt besuchten. Der Eintritt nach Ostberlin war mit fünfundzwanzig D-Mark einfach zu teuer. Zwar erhielt man im Gegenzug fünfundzwanzig Ostmark, aber es fand sich weit und breit keine Möglichkeit, dieses Geld auszugeben. An der Grenze wurde

---

* Auch in der westdeutschen Rechtsprechung wurde bis zur Wende diskutiert, ob Westberlin nicht als »*besetztes und nicht handlungsfähiges Gebiet des Deutschen Reiches*« zu betrachten sei.

man unhöflich behandelt, und wenn man bis Mitternacht nicht wieder zurück war, mußte man weitere fünfundzwanzig Mark bezahlen.

Nach dem Fall der Mauer hätte die Enttäuschung nicht größer sein können. Die Ostberliner, für deren Befreiung man jahrzehntelang gekämpft hatte, erwiesen sich als gewöhnliche, allenfalls für ein paar Tage dankbare Meckerberliner, also die Sorte von Menschen, von denen man selbst schon genug hatte. Ihre Freiheit rissen sie einfach ungeduldig an sich und nahmen sie als selbstverständlich an, als ob die Westberliner nur die Garderobiere gewesen wären und nicht die tapferen Befreiungssoldaten im Kampf der Systeme.

Schon nach wenigen Jahren mußten die Westberliner entsetzt feststellen: »Die haben uns unser schönes Westberlin kaputtgemacht.« Zwar gab es keine einzige Zeitungsmeldung über den Fall des Nollendorfplatzes oder die Zerstörung der Drakestraße. Aber im Grunde hatten sie recht. Unser schönes Westberlin, das waren Riesendöner für zwei Mark mit Soße und ohne Bundeswehr. Unser schönes Westberlin, das waren Billigwohnungen in der Friedrichstraße in Mauernähe. Und wenn sich die verschiedenen Bevölkerungsgruppen früher mal gestritten hatten, dann konnte man einander an den Kopf werfen, doch lieber nach drüben zu gehen, wobei das jeder ein bißchen anders verstanden haben wollte.

Das kuschelige Feuchtbiotop, in dem man sich eingerichtet hatte, war plötzlich durch den Einstrom von frischer Luft zerstört worden. Früher selbstverständliche Subventionen wurden ein rares Gut, und die Industrie wanderte postwendend in Orte mit besserer Infrastruktur oder billigeren Arbeitskräften ab. Die Politiker sollten plötzlich eine nachvollziehbare Haushaltspolitik machen, und niemand wollte mehr für eventuelle Defizite einspringen. Die Zeitungen mußten vollkommen verdutzt über den Rand der Mauer hinausschauen. Irgendwann schien alles zerbrochen zu sein, ohne daß jemand auch nur ein Klirren gehört hatte.

Exemplarisch sei der Charlottenburger Savignyplatz genannt, wo sich an lauen Sommerabenden einst *tout Westberlin* traf. Man speiste bei »seinem« Griechen oder Italiener, nahm einen Chianti zu sich und zeigte heimlich auf die Nachbartische, an denen Berliner Prominenz saß. Gab es etwas Geschäftliches zu regeln, stand man auf, verneigte sich höflich ein paar Tische weiter und besprach, was zu besprechen war. Nach dem Mauerfall strömten plötzlich Millionen von Touristen zum Savignyplatz, der noch in jedem Reiseführer als »Geheimtip für unverwechselbares Lokalkolorit« Erwähnung fand. An den Tischen drängelten sich jetzt Amerikaner, Italiener, Engländer und Sachsen, Anhaltiner und Ostberliner. Die alten Westberliner bekamen trotz älterer Rechte mitunter nicht mal mehr einen Sitzplatz, und wenn, dann kannte man niemanden mehr. Statt des früher üblichen gelangweilten Parlandos, das selten lauter war als das Rauschen der Akazien auf dem Savignyplatz, war die Luft nun von einem polyphonen Geschnatter erfüllt, in dem man sein eigenes Wohlstandsgesäusel nicht mehr hören konnte. Bald schon zog man sich über die Restaurants der Nebenstraßen wieder in seine Häuser zurück. So schön wie vor dem Mauerfall, darüber war man sich einig, würde der Savignyplatz nie wieder werden.

Den Ostberlinern tat das alles unendlich leid. Auch sie hatten das schöne Westberlin gewollt, das nun vor ihren Augen verschwand. Die Mauer hatte die Freundschaft beider Berliner Stadt-Teile viele Jahre lang nur vertiefen können, und man kann nur hoffen, daß die Abwesenheit der Mauer diese Freundschaft jetzt nicht zu Ende gehen läßt.

Dit soll Kunst sein

Von Joseph Beuys wurde der Ausspruch berühmt: »Jeder ist ein Künstler.« Bis heute wird dieser Satz gelehrt diskutiert, als Manifest einer Bewegung gegen den Elitegedanken in der Kunst, als Appell zur Bewußtmachung kreativer Aspekte des Alltäglichen, als Provokation. Ich habe meine eigene Theorie von der Entstehungsgeschichte dieses Satzes. Man darf nicht vergessen, Beuys war oft beruflich unterwegs, gab Unterricht, bereitete Ausstellungen vor. Am Abend eines langen Tages wird er erschöpft in einer Kneipe nach der Rechnung verlangt haben, und der Kellner brachte dieselbe mit dem Angebot, daß der berühmte Herr Beuys ihm, dem Kellner, statt eines Trinkgeldes auch ein, zwei seiner großartigen Linolschnitte abkaufen könne. Beuys wird die sicherlich abscheulichen Linolschnitte betrachtet, ermattet seine Geldbörse gezogen, den freundlichen Kellner mit einem üppigen Trinkgeld ermutigt haben, seinen Irrweg als Künstler nicht weiter zu verfolgen, und das Lokal verlassen haben. Eingedenk eines langen Tages, an dem er bereits mehrere Proben talentloser Studenten hatte in Augenschein nehmen müssen, wird er mit einer nur durch Bier leicht gelockerten Mischung aus Verzweiflung und Resignation in sein Atelier gegangen sein, wo er das Licht anmachte und eine der leeren Staffeleien betrachtete. Und schließlich wird er, einem Seufzer gleich, den berühmten Satz auf die Staffelei gekritzelt und das Licht gelöscht haben, um sich zur wohlverdienten professoralen Ruhe zu begeben.

Ob Beuys gleich am nächsten Tag auf die Idee kam, daraus ein Manifest zu machen, oder *post hoc* die Deutung als Manifest akzeptierte, weil ihn sein Galerist am nächsten Tag besuchte, die Staffelei sah und »Genial« rief, ist nicht überliefert. Aber die These, daß jeder ein Künstler ist, liegt nirgendwo so nah wie in Berlin, wo nämlich jeder ein Künstler ist. Und nicht einmal alle von ihnen sind schlecht.

Schon die Zahl der staatlichen Kunsthochschulen in der Stadt ist unendlich, unbekannt ist die Zahl privater Institutionen, wo man malen, zeichnen, schreiben, lesen, spielen und dergleichen mehr grundlegende Kulturtechniken erlernen kann. Unglücklicherweise kommt ausgerechnet das wichtige Rechnen dabei leider häufig zu kurz. Es ist schon deshalb unmöglich, die genaue Zahl dieser Institutionen zu benennen, weil sie einerseits häufig langfristig nicht den notwendigen ökonomischen Erfolg haben, andererseits für eine Schauspielschule, die schließen muß, zwei Schauspielschulen und eine Schreibwerkstatt öffnen.

Die an diesen Instituten Ausgebildeten brauchen entsprechend Möglichkeiten, ihre neu erworbenen Fähigkeiten anzuwenden. Darum gibt es in der Stadt unzählige Spielstätten, Wohnzimmergalerien, Hallen, Clubs, literarische Salons und lyrische Hinterzimmer. Es ist von folgender Grundannahme auszugehen: Es gibt jeden Tag an irgendeinem Ort dieser Stadt alles, gewisse Einschränkungen gelten lediglich für den Heiligabend, wenn einige Bordelle geschlossen bleiben. Lange bevor man losgeht, sollte man daher tief in sich gehen, um herauszufinden, wonach einem das kunstinteressierte Herz steht.

Mit aller gebotenen Vorsicht glaube ich, mich ein wenig in der literarischen Szene der Stadt auszukennen. Ich will sie daher als Beispiel anführen, jede andere Kunstsparte ist mindestens genausogut in der Stadt ausgebildet. Die Graswurzeln der Berliner Literaturszene sind die mehreren tausend unentdeckten Schriftsteller, die zu studieren vorgeben, Taxi fahren oder Teller spülen. Ein kleiner Teil dieser Schriftsteller ist in einem der Dutzenden von Schreibvereinen, die sich wöchentlich treffen, um gegenseitig ihre neu entstandenen Texte zu verreißen. Gelegentlich veranstalten diese Schreibvereine öffentliche Lesungen im Gemeindesaal oder kleinen Galerien, zu denen sich meist nur die Schreibenden und ihre engsten Freunde einfinden. Dann gibt es eine ganze Reihe von Lesungen, zu denen sich zahlendes Publikum einfindet. So veranstalten die zahlreichen großen und kleinen Buchhandlungen normale Autorenlesungen für ihre Kunden. In allen Großstädten kennt man die Poetry Slams, bei denen das Programm zwischen Lyrik, Hip Hop und Prosa erst am Abend selbst entsteht und zum Schluß einer zum Gewinner gekürt wird. Wobei der Preis meist nur symbolischen

Charakter hat: Mal gibt es einen Bratapfeltopf, mal eine getrocknete Seegurke.

Im Grunde einmalig in Berlin sind die sogenannten Lesebühnen, von denen an jedem Wochentag mindestens eine stattfindet. Hier trifft sich ein fester Kreis von Schriftstellern, von denen jeder zwei neue Geschichten vorliest. Dazu werden regelmäßig Gäste eingeladen, die entweder selbst schreiben oder Lieder machen. Der Eintritt ist billig, die Atmosphäre ist locker, Publikum und Vortragende trinken Bier, Zwischenrufe gehören dazu. Oft wundern sich Leute von außerhalb, wie die Lesebühnen funktionieren können. Aber die Antwort ist einfach: Alle funktionieren so, daß sie in der Anfangszeit kein Geld verdienen und später verschwindend wenig. Doch mit ein wenig Glück erarbeitet man sich so ein Stammpublikum, das eine wöchentliche literarische Unterhaltung der allgegenwärtigen Verdummung durch das Fernsehen vorzieht.

Zudem gibt es in Berlin auch noch verschiedene literarische Institutionen, wie das Literarische Colloquium, die Literaturwerkstatt oder natürlich die Akademie der Künste mit zwei Standorten. Hier finden Lesungen in gediegenem Ambiente vor gelehrtem Publikum statt. Es gibt die Möglichkeit, mit den bedeutendsten Schriftstellern ferner Länder zu sprechen, die häufig unbekannt sind, weil sie nicht in einem der englischsprachigen Länder dieser Erde arbeiten.

Sie dachten, das war jetzt alles? Weit gefehlt. Die Höhepunkte des literarischen Jahres sind die verschiedenen Literaturfestivals. Einerseits gibt es verschiedene Nachwuchsfestivals, deren Preisträger meist einen Buchvertrag als tatsächlichen Hauptgewinn davontragen. Dann gibt es nach letzter Zählung drei internationale Literaturfestivals, zu denen sich auch Bestsellerautoren in der Stadt einfinden. Und schließlich gibt es Einzellesungen von Topautoren, die in riesigen Konzertsälen oder auf Freiluftbühnen stattfinden.

Aber was soll es heute sein? Eine staatstragende Lesung oder eine anarchistische Oper? Will man im Staatstheater Boulevard sehen oder im Boulevardtheater Shakespeare? Will man philharmonische Klänge von Weltrang in einer Konzerthalle mit weltberühmter Akustik hören? Will man mit Schlamm oder mit Punkmusik oder mit beidem beworfen werden, und wenn ja, in welchem Stadtbezirk? Will man lachen oder ins Kabarett? Will man nackte Beine sehen, und wenn ja, sollen diese von Männern oder von Frauen sein, und wenn man sich entschieden hat, sollen diese Männer (oder Frauen) Männer- oder Frauenkleider tragen? Ist einem kreativ zumute? Will man dann mit einem eigenen Text einen Poetry-Slam gewinnen, mit einem eigenen Instrument irgendwo mitjazzen, oder reicht einem ein Kurs in balinesischer Kochkunst? Oder will man ins Kino gehen? Dann sollte man wissen, ob man den Film zweidimensional oder dreidimensional und mit oder ohne Dufterlebnisse sehen möchte, ob und wie viele der Schauspieler im Film sterben und wie viele miteinander schlafen sollten und in welcher Reihenfolge, ob man hinterher oder währenddessen mit allen anderen Zuschauern über den Film diskutieren möchte, ob man während der Vorstellung rauchen will und ob man den Film im Original mit deutschen Untertiteln oder synchronisiert mit koreanischen Untertiteln sehen möchte.

So gibt es an jedem Abend ein solches Überangebot

an Lesungen, Konzerten, Vernissagen und Vorstellungen, daß es ohne Touristen gleich gar nicht gehen würde, weil an manchen Tagen nicht einmal die Zahl der überall kostenlos erscheinenden Freunde der Künstler eine erträgliche Besuchermenge produzieren würde.* Mit dem Berliner Kulturprogramm eines durchschnittlichen Tages kann der Jahreskulturkalender manch kleinerer Stadt wohl nicht mithalten. Es ist vollkommen sinnfrei zu fragen, ob eine bestimmte Art von Kultur an diesem Tag stattfindet, die einzig sinnvolle Frage ist, *wo* diese Art von Kultur an diesem Tag stattfindet. Die Programmzeitschriften sehen daher aus wie Telefonbücher, eng bedruckt auf schlechtem Papier. Bei dieser Konkurrenz freuen sich Künstler und Veranstalter über jeden Gast, besonders wenn er den Eintritt bezahlt. Künstler, die woanders ansehnliche Hallen füllen würden, begrüßen den Besucher an der Eingangstür mit Handschlag und bedanken sich, daß ausgerechnet er in den kleinen Club gekommen ist, wo sie heute abend auftreten. Nur wenn man durchblicken läßt, selbst ebenfalls Künstler zu sein, verfinstert sich der Blick und verschärft sich der Ton. Noch mehr Konkurrenz kann hier keiner gebrauchen.

Keinesfalls sollte man sich von sogenannten Geheimtips beeinflussen lassen. Ohnehin ist es ein Widerspruch, daß ein Geheimtip irgendwo veröffentlicht ist, er ist dann höchstens noch als Tip zu bezeichnen. Außerdem stehen diese Tips in Büchern, die ein paar Monate nach dem Schreiben gedruckt wurden und noch ein paar

---

* Kostenlose Freunde erscheinen übrigens am ehesten in Erwartung alkoholischer Freigetränke und verschwinden kurz nach ihnen.

Monate später erst gelesen werden. So lange überlebt in Berlin ohnehin kein Tip, sei er nun geheim oder nicht. Die verschiedenen Szenen sind beweglich und schnell. Man sollte sich also keinesfalls nach diesen angeblichen Geheimtips richten, häufig werden ganze Busladungen von Touristen davor ausgekippt, die sich dann innerhalb des Geheimtips gegenseitig ratlos anstarren. Es ist nicht einmal unbedingt erstrebenswert, in *dem* angesagten Club der Stadt zu sein, selbst wenn man es zufällig dorthin schaffen sollte. Es wird in jedem Fall zu voll sein, selten freundlich, nie billig, und man ist keinesfalls richtig angezogen. Sein kulturelles Ziel sollte man unabhängig von Tips wählen. Wenn es einem gar nicht gefällt, kann man ja immer noch weiterziehen. Der Eintritt ist übrigens häufig verhandelbar. Wenn man zu dritt kommt, muß man vielleicht nur für zwei bezahlen, ab zwölf Leute bekommt man eine CD kostenlos dazu, und ab zwanzig darf man sich vielleicht sogar ein Instrument oder einen Künstler seiner Wahl mit nach Hause nehmen. Aber man braucht Fingerspitzengefühl und Feingefühl beim Verhandeln, in manchen Clubs zum Beispiel bezahlen Studenten den doppelten Eintritt.

Das Hauptproblem der Berliner Kultur ist natürlich das Geld beziehungsweise sein Fehlen. Als Berlin noch aus den zwei Teilen Frontstadt und Hauptstadt bestand, hat es dieses Problem noch nicht gegeben. Die im wesentlichen staatlich gelenkte DDR-Kultur war gut subventioniert, weil man das schönste Schaufenster des Sozialismus in Richtung Westen sein wollte. Und auch nach Westberlin floß reichlich Geld, weil es die Bewohner der Oase der Freiheit inmitten von Diktatur so schön wie möglich haben sollten. Nach der Wende fielen beide Gründe weg und damit auch bald das Geld. Dazu kam noch, daß der damalige Berliner Senat über Jahre nicht registrierte, daß es diese Sonderförderung nicht mehr gab, und hemmungslos mit beiden Händen Geld ausgab, das er nie bekommen hatte. Irgendwann reichte es dann nicht einmal mehr, den Fuß vom Gaspedal zu nehmen, es mußte kräftig auf die Bremse getreten werden. Und der Bremsweg ist lang. Überall wird inzwischen gekürzt, fusioniert und rationalisiert auf Teufel komm raus. Es geht nur noch darum, wem noch mehr weggenommen wird, welche Oper geschlossen werden soll, welches Institut nicht mehr zu halten ist. Ein Problem hat die Politik dabei noch nicht bedacht: Wenn man den Berliner Kulturetat irgendwann erfolgreich auf die Höhe des Kulturetats von Kleinkleckersdorf eingeschmolzen hat, sollte man sich nicht wundern, daß die Besucherzahlen in der Stadt sich ebenfalls denen von Kleinkleckersdorf annähern werden.

Die einzigen, die in Berlin mit Kunst noch Geld verdienen, sind die Betreiber von Künstlerbedarfsläden oder Kunstschulen. Alle anderen haben entweder noch einen richtigen Beruf wie Kellner oder Taxifahrer, oder sie treffen sich regelmäßig mit anderen Kreativen auf dem Arbeitsamt.[*]

Bekannt ist Berlin nach außen für seine kulturellen Großereignisse, ob sie nun Loveparade, Silvesterfeier am Brandenburger Tor oder Echo-Verleihung heißen. Es ist schwer, die abgebrühten Hauptstädter für irgend

* Was sagt ein Musiker mit Arbeit zu einem Musiker ohne Arbeit? »Soll da Ketchup oder Senf drauf?«

etwas zu begeistern, am ehesten gelingt das vielleicht noch der Berlinale, *dem* deutschen Filmfestival, wo Karten durchaus hoch begehrt sind. Die anderen Großereignisse werden in der Stadt selbst kaum wahrgenommen. Sie dienen der Hotelindustrie zum Füllen der Betten, die Berliner selbst nehmen diese Ereignisse kaum wahr. Anläßlich der Loveparade sah man ein paar mehr schrill angezogene Leute als sonst auf den Straßen, zu Silvester staut sich der Verkehr in Mitte, ansonsten zucken die Berliner nur mit den Achseln. Im übrigen zählen seit einigen Jahren wohl auch die Festspiele am 1. Mai zu dieser Art von Touristenattraktion. Wohlstandskinder aus dem ganzen Land reisen mit selbstgebastelten Molotowcocktails nach Kreuzberg, und weil es dort keine Randale gibt, machen sie sich die auch noch selbst. Die Berliner Polizei nutzt die Gelegenheit, Kollegen aus dem ganzen Land zur Unterstützung einzuladen, und mit etwas Glück stehen dann frustrierte westfälische Jugendliche frustrierten westfälischen Polizisten auf dem Oranienplatz gegenüber. Die meisten Kreuzberger sind diesen Zirkus ziemlich leid und wünschten, die betreffenden Paarungen würden sich gleich in Bielefeld auf dem Bahnhof kloppen und dann zu Hause bleiben.

Insgesamt nutzen die Berliner das kulturelle Angebot der Stadt sehr selten. Eigentlich gehen sie nur notgedrungen in die Museen und Theater, wenn dem Besuch von außerhalb die Eckkneipe und der nächstgelegene Stadtpark nicht ausreichen. Aus unerfindlichen Gründen gehen die Berliner viel lieber zu Ereignissen, die auch in jeder Kleinstadt stattfinden könnten. So bekommt man in der Stadt eigentlich jederzeit Opernkarten, aber wenn mal ein neuer S-Bahnhof mit Blasmusik, Wurst und womöglich noch Freibier eingeweiht wird, dann findet man keinen Stehplatz mehr. In der Wendezeit war es so, daß der Regierende Bürgermeister Momper (West) und der Oberbürgermeister Schwierzina (Ost) eigentlich ihre kecken Eisenbahnermützen, die Eisenbahnerkelle und die Trillerpfeife kaum noch abzulegen schienen, weil sie auf einer Bahnhofseröffnung nach der anderen posierten. Und obwohl es schon jetzt an jeder Ecke ein Einkaufszentrum gibt, drängen sich doch pünktlich zu jeder Eröffnung wieder Menschentrauben an den Eingangstüren, um mit der Öffnung der Türen loszustürmen und dann überrascht wahrzunehmen, daß es auch in diesem Einkaufszentrum weder ein funktionierendes Perpetuum mobile noch eine echte Zeitmaschine zu kaufen gibt. Doch die Rentnerinnen scheinen sich auch schon sehr über die kostenlosen Luftballons zu freuen.

Äußerst beliebt sind auch die sogenannten *langen Nächte*. Diese gibt es in den Sparten Museum, Wissenschaft, Tanzmusik, Akademie, Lyrik, Bücher und so weiter. Die Besucher werden mit Bussen zu den teilnehmenden Institutionen gefahren und verbringen dort jeweils ein paar desinteressierte Minuten, es sei denn, es gibt Freibier und Blasmusik, in welchem Fall man länger bleibt. Anläßlich solcher Veranstaltungen lesen dann Lyriker zwischen Bratwurstbuden und Bierzelten aus ihren Werken dem vorbeieilenden Publikum sowie den auf Bier und Wurst Wartenden vor. Oder ein berenteter Lagerfacharbeiter aus dem Wedding steht nachts um zwei neben einem Teilchenbeschleuniger und verlangt, von dem neben ihm stehenden Physikprofessor für sein

Geld unterhalten zu werden. Vielleicht ist es schiere Überforderung, eine Kapitulation vor der Vielfalt der Möglichkeiten, welche die Berliner dazu treibt, sich vor allem solchen provinziellen Vergnügungen hinzugeben, ähnlich dem Tier, das sich in einer ausweglosen Situation plötzlich zu putzen anfängt. Vielleicht ist es aber auch nur der Wunsch nach ein bißchen dörflicher Geborgenheit in diesem Millionenmoloch.

Sportliches Spree-Athen

Wenn ich mich zum Thema Sport äußere, so tue ich dies vor allem der Vollständigkeit halber. Ich war immer ein sportlich »anders begabter« Mensch. Während meine Klassenkameraden beim Schlagballweitwurf ihre Wurfgeräte gen Himmel schickten, wo das Kautschuk am Zenit der Wurfbahn auf Grund der großen Nähe zur Sonne gleich den Flügeln des Ikarus zu schmelzen begann und wir die Schlagbälle später irgendwo in den Büschen der Nachbarschaft fanden, kam, wenn ich mit meinem Wurf an der Reihe war, der Schüler mit dem Maßband eiligen Schrittes zum Ausgangspunkt gelaufen, um das notwendige Metermaß aufzukurbeln. Bekam ich das Signal zur Freigabe, rannte ich verzweifelt zur Abwurflinie und schleuderte dann meinen Schlagball nahezu senkrecht nach unten in den grauen Sand unseres Schulsportplatzes. Von »Schlagballweitwurf« konnte bei mir wirklich keine Rede sein. Es ist also kein Wunder, daß mein Verhältnis zum Sport immer sehr zwiespältig blieb. Und doch kann einem Berliner der Sport nicht ganz gleichgültig sein.

Eines gleich zu Beginn: Es gibt nicht *den* Sportverein für diese Stadt, aber welchen Leser wird das zum jetzigen Zeitpunkt schon noch überraschen? Zwar gibt es in Berlin Vereine für alle möglichen Sportarten, trotzdem dominiert wie überall in Deutschland der Fußball die Szene. Die beiden Ostberliner Lokalrivalen waren der BFC und Union. Die Vereinsfarben beider Clubs waren Rot und Weiß, allerdings hatte der eine eher einen ziegelroten und der andere einen weinroten Farbton. Besonders im Umfeld eines Berliner Derbys war es für den Unkundigen gefährlich, überhaupt rote Kleidung zu tragen. Eine zeitgenössische Karikatur beschrieb das Problem auf gelungene Weise: Ein Mann droht in der Spree zu ertrinken und winkt verzweifelt um Hilfe. Ein Passant steht auf einer Brücke, den Rettungsring in der Hand, und ruft zum Ertrinkenden hinunter: »Union oder BFC?« Diese Frage konnte einem auch in tiefster Nacht in der S-Bahn von einer größeren Gruppe vollalkoholisierter Jugendlicher gestellt werden, die Art von Jugendlichen, die auch gut einen Schlagball werfen konnte. Es bot sich an zu wissen, wer das Weinrot und wer das Ziegelrot bevorzugte, und am besten noch einen der Schmähgesänge gegen den anderen Club zu kennen, wenn man im Vollbesitz seiner Zähne den Heimweg antreten wollte.

Der Berliner Fußballclub Dynamo war zu Hause im Friedrich-Ludwig-Jahn-Sportpark und der Lieblingsclub von Stasichef Erich Mielke und unter anderem deshalb Dauersieger der ostdeutschen Oberliga. Notfalls wurde so lange gespielt, bis der BFC gewonnen hatte.

Ein Leipziger Stadionsprecher soll entlassen worden sein, weil er zu Beginn eines Spieles des 1. FC Lokomotive Leipzig gegen den Berliner Rekordmeister: »Hier kommt der BFC mit seinem Schiedsrichtergespann« gesagt hatte. Die Fans des BFC bestanden im wesentlichen aus Menschen, gegen die die Spieler in ihrem Hauptberuf eigentlich etwas hätten ermitteln müssen. Hauptberuf deshalb, weil es in der DDR keinen Profisport gab, mit einer Binnenwährung wie der Ostmark wäre das sinnlos gewesen. Also wurden die Leistungssportler als Amateure bezeichnet, die einen Arbeitsvertrag mit irgendeinem Betrieb in der Tasche hatten oder angeblich Sport »studierten«. Das war der DDR auf doppelte Weise recht, einerseits paßte es zum eingebildeten Image des »Arbeiter-und-Bauern-Staates«, daß dort angeblich bolzende Arbeiter, Ingenieure und Studenten auf dem Platz standen, andererseits konnten so alle zu den Olympischen Spielen fahren. In Wirklichkeit wurde hart trainiert und gnadenlos ausgewählt, und wie heute bekannt ist, machte mehr als ein Leistungssportler ein ganzes Chemiestudium am eigenen Leibe mit.

Die Spieler des BFC jedenfalls waren offiziell beim Ministerium des Inneren angestellt und firmierten als hauptberufliche Polizisten oder Wachleute. Für einen guten Torschuß konnte man da schon mal vom Oberleutnant zum Hauptmann der Volkspolizei befördert werden. Der harte Fanblock bestand jedoch zu nicht unwesentlichen Teilen aus kahlgeschorenen Hooligans, die internationale Vergleiche wirklich nicht zu scheuen brauchten. Sie brüsteten sich in den Sonderzügen mit dem Stasiimage des Vereins und schlugen gern mal alles kurz und klein, unabhängig vom Spielverlauf, und nahmen den Kollegen in Uniform ihre Dienstmützen weg. Wirklich verstehen konnte man das nicht, aber die Fans schienen eine Menge Spaß zu haben.

Der 1. Fußballclub Union Berlin pflegte das Image des Underdogs. Zu seinen Fans zählten die Punks, Blues-Fans und Rocker. Nachdem der Verein jahrelang ohne offizielle Unterstützung sein Dasein gefristet hatte, nahm ihn die Freie Deutsche Jugend »Kampfreserve der Partei« in ihre festen Arme. Der Schlachtruf von Union war und ist »Eisern«. Die Fans trugen ziegelrot-weiße Schals, und die Heimspiele fanden in der »Alten Försterei« statt, Unions Heimatstadion in Köpenick.

Fußball war in Ostberlin das beherrschende Thema. Gern ging man noch zum Eishockey, wo der Berliner Verein Dynamo niemals einen schlechteren als den zweiten Platz, meistens jedoch Rang eins in der höchsten ostdeutschen Spielklasse innehatte. Das hing damit zusammen, daß die ostdeutsche Eishockeyliga aus genau zwei Vereinen bestand: Berlin und Weißwasser. Als Grund dafür wurde angeführt, daß man für Eishockey so viel teures Westmaterial brauche. »Weißwasser-Scheißwasser, Scheißwasser raus!« riefen daher die Fans empört von den Rängen, wenn eines der Spiele stattfand, und jedes Spiel war ja Meisterschaft. Wirkliche Höhepunkte waren nur Gastspiele, wenn einer der zwei Moskauer Spitzenvereine Berlin oder Weißwasser als Sparringpartner gebrauchte und das Tor vollschoß oder gar ein kleines internationales Turnier veranstaltet wurde. Die Nationalmannschaft der DDR, logischerweise hauptsächlich aus Berliner Spielern bestehend, schaffte ein paarmal die Qualifikation zur Weltmeisterschaft und brachte von dort sogar ein paar Pokale mit. Und zwar den »Fair-Play-Pokal« für die Mannschaft mit den wenigsten Strafminuten.

Der ohne Zweifel erfolgreichste Westberliner Sportverein war die Wasserballmannschaft der »Wasserfreunde Spandau«. Sie waren über Jahrzehnte das, was Michael Schumacher über Jahre für die Formel 1 war und die DDR im Bobsport, sie gewannen alles und waren immer der sichere Favorit. Die westdeutsche Nationalmannschaft im Wasserball kam im Prinzip aus Spandau. Das Problem des Wasserballs ist seine vollkommene Wertlosigkeit als Angebe- und Vorzeigesportart. Egal, wie vollkommen die Athleten sind, egal, welche Kunst es erfordert, für diesen Sport Körper und Geist miteinander in Einklang zu bringen, egal, wieviel Kraft und Geschick die Sportler aufbringen müssen, von den Zuschauerbänken sieht man nur ein paar Badekappen, die um einen Ball herumschwimmen. Wenn einer der Spieler kurz aufsteigt, um ein Tor zu werfen, ist man bestimmt gerade ein Bier holen oder eingeschlafen. Nicht einmal im Berliner Lokalfernsehen wurden selbst die wichtigsten Spiele der Wasserfreunde jemals komplett übertragen. Wasserball macht nicht einmal was auf internationalem Niveau her, und der sporadische Zuschauer kann nicht einfach so mitreden. Damit war es als Lieblingssportart für Berlin nie wirklich geeignet.

Aber auch in Westberlin gab es Fußballclubs, einer stellte sogar einen bisher ungeschlagenen Bundesligarekord auf. Tasmania 1900 Berlin spielte 1965 / 66 die erfolgloseste Bundesligasaison aller Zeiten, in der sie insgesamt zwei Spiele gewannen. Bekannter und wichtiger waren und sind Hertha und TeBe, was ausgeschrieben Tennis Borussia heißt, wo immerhin Sepp Herberger ein paar Vorkriegsjahre lang spielte. Hertha hingegen, der nach einem Ausflugsdampfer benannte Traditionsverein, hatte sein erstes Heimatstadion genau dort, wo später der Friedrich-Ludwig-Jahn-Sportpark des BFC stand, bevor Hertha 1904 in den Wedding umzog. Sowohl Hertha als auch TeBe waren einmal in der Bundesliga, Hertha kämpfte in der zweiten Liga jahrzehntelang um den Aufstieg, während TeBe in derselben Liga gegen den Abstieg oder in der dritten Liga um den Aufstieg kämpfte. Westberliner Fußballfans waren also lange Zeit leidgeprüfte Wesen, die man jeder alleinstehenden Frau bedenkenlos zur Hochzeit anempfehlen konnte, weil sie Treue offensichtlich ohne Einschränkung praktizierten. Die gegnerischen Mannschaften von außerhalb fuhren mit dem Bus über die Transitstrecke, holten sich ihre Punkte und verließen dann lachend die Stadt. Um wenigstens einen Hauch von Fußballfieber zu spüren, haßten sich die lila gewandeten TeBe-Fans und die blau-weißen Herthaner. Während Hertha für den proletarischen Wedding und Nordwestberlin stand, fühlten sich die TeBe-Fans eher als die vornehmeren Freunde der Körperertüchtigung.

In der *Süddeutschen Zeitung* fragte einmal ein Leser, warum die besten Handball- oder Volleyballmannschaften häufig aus kleineren Städten wie Gummersbach oder Leinfelden-Echterdingen kommen. Die Expertenantwort lautete, daß große Städte wie München oder Hamburg sich auf ihre Fußballvereine konzentrieren, während in kleineren Städten eher Begeisterung und damit auch Erfolg für randständigere Sportarten zu erzielen sei. Und irgendwie klappt es mit dem Berliner

Fußball auch seit Jahren nicht richtig. Nach der Wiedervereinigung Berlins stiegen zunächst die basketballspielenden Albatrosse von Alba Berlin senkrecht in den Himmel des erfolgreichen Berliner Mannschaftssports. Die Freude war zunächst groß und tröstete vielleicht den einen oder anderen Fan der Ostberliner Fußballclubs über deren schnellen Marsch aus den luftigeren Etagen der Ligen in den Souterrain- und Kellerbereich.

Doch war es der vorerst endgültige Aufstieg von Hertha BSC in die erste Bundesliga, der endlich das immer ausreichend vorhandene Selbstbewußtsein der Berliner Sportfans mit der notwendigen Substanz erfüllte. Daher sehen sie nun die Fans der Spitzenmannschaften als ihre Gegner und lassen TeBe in Ruhe, die nach der Vereinigung manchmal gegen den BFC, manchmal gegen Union spielen. Unabhängig davon, wie Hertha spielt, und Hertha war immer gut für besonders katastrophale Bundesligaspiele, spekulieren die Fans über die drohende Meisterschaft. Nur wenn die Mannschaft kurz vor dem Abstieg steht, hofft man auf das Minimalziel UEFA-Cup-Platz. Aber spätestens zu Saisonende dreht sich der Wind. Wenn es die ganze Saison über schlecht lief, dann werden noch in letzter Minute die überlebensnotwendigen Punkte geholt. Wenn es monatelang gut lief, wird Hertha übermütig und macht Riesenpatzer, um nicht zu weit vorn zu landen. Und wenn es einmal gar zu gut läuft, wird einfach der Trainer ausgewechselt. Und immer noch oft genug fahren die Mannschaftsbusse der anderen Vereine über die ehemalige Transitautobahn und holen sich ihre Punkte.

»Weißt du, wie Hertha noch ganz nach oben kommen kann?« ist eine beliebte Frage zu Saisonende.

»Indem man die Sportseite umdreht.« Deshalb traut sich kaum einer, so richtig zuzugeben, daß er Hertha gut findet. Trotzdem darf sich natürlich kein Auswärtiger abschätzig über den Verein äußern, dann kann es ganz schnell ungemütlich werden.

Zu den Ostberliner Fußballclubs gehen nun nur noch die eingefleischtesten Fans. Der Eintritt ist billig, und man kann sich sicher sein, daß niemand nur wegen des Erfolgs, der vielen Fernsehkameras oder der Werbung im Stadion ist. Die Fans des BFC vermuten hinter ihrem kometenhaften Abstieg einen politisch motivierten Schiedsrichterskandal. Wie sonst kann es sein, daß eine Mannschaft mit Dutzenden von Pokalsiegen und Meisterschaften sich plötzlich in der fünften Liga wiederfindet? Sogar ihr altes Heimatstadion wurde ihnen genommen. Die Fans von Union freuen sich darüber, endlich einmal vor dem BFC zu sein, träumen aber heimlich auch immer wieder von einem rot-weiß / weinrot-weißen Derby in Berlin. Die Fans vom BFC freuen sich darüber, daß die Stadtreinigung der Hauptsponsor von Union ist. Die Fans von Union freuen sich, daß eine Straßenbahn mit »Eisern Union« durch die BFC-Hochburg Hohenschönhausen fährt.

Nicht unerwähnt dürfen die zahlreichen türkischen Sportvereine wie Türkiyemspor aus Kreuzberg oder der SV Yeşilyurt aus dem Wedding bleiben. Sie spielen sehr schönen Fußball, aber das ist meist ihr Problem. Für ein gutes Spiel riskieren sie auch mal eine Niederlage und haben damit in den Ligaspielen schlechte Karten gegen die deutschen Strategen, die sich nach einem frühen Tor auch gern mal zu elft ins Tor stellen. Spiele türkischer gegen deutsche Vereine sind leider oft Anlaß für übelste verbalrassistische Exzesse, übrigens meist von beiden Seiten. Ernst zu nehmen ist das glücklicherweise nicht. Ein paar Stunden nach dem Spiel haben sich alle Berliner Fans wieder nahtlos in den bunten Eintopf der Kulturen geworfen und essen einen Döner zu ihrem Schultheiß, während die amerikanische Zigarette im Ascher qualmt.

Ich selbst treibe keinen Sport, fahre aber immerhin täglich mit dem Fahrrad. Die einzige Sportart, in der ich mich ein wenig auskenne, ist Baseball, der in Berlin zwar auch gespielt wird, aber auf ganz kleiner Flamme. Schließlich wird jede noch so abwegige Sportart irgendwo in Berlin praktiziert. Von den Wasserfreunden Spandau habe ich übrigens ewig nichts mehr gehört oder gelesen, aber ich bin mir sicher, sie genießen die Begeisterung und Unterstützung aller Spandauer, und man bekommt mit Sicherheit immer einen Sitzplatz.

Hier stinkt's, hier gefällt's mir, hier bleib ich

Die Menschen aus Köln, aus München, aus New York und aus Tokio schauen neidisch auf diese Stadt.* In Berlin kann man für erträgliches Geld in einer erträglichen Wohnung wohnen, für viel Geld kann man in ganz viel Wohnung wohnen, und je weiter man in die Peripherie geht, desto mehr tun dies auch die Mieten. Die urbanen Mythen der Hauptstadt ranken sich nicht wie in anderen Großstädten um jemanden, der für fünfhundert Euro eine Zwei-Zimmer-Wohnung in Spitzenlage bewohnt. Das ist auf dem Berliner Wohnungsmarkt eher die Regel als die Ausnahme. Nein, in Berlin beeindruckt man sich gegenseitig mit Erzählungen von Menschen, die eine 380-Quadratmeter-Wohnung in Mitte

---

* Nach Ernst Reuter, legendärer ehemaliger Oberbürgermeister der Westsektoren Berlins: »Ihr Völker der Welt. Ihr Völker in Amerika, in England, in Frankreich, in Italien! Schaut auf diese Stadt...« (9. 9. 1948).

ihr Eigentum nennen, von Mietern mit einem gültigen DDR-Mietvertrag, die ihre Miete angeblich immer noch in Mark der DDR bezahlen, oder von Studenten, die sich gerade in ihrer Bude ein Billardzimmer mit einem Snookertisch einrichten; in originaler Turniergröße, gleich neben dem Eßzimmer, auf halbem Weg zum Ankleidezimmer.

Wer sich in Berlin als Immobilienmakler zu erkennen gibt, sollte sich nicht über die Frage wundern: »Und, kann man davon leben?« Denn es ist nicht so wie in anderen Metropolen, wo ein Mangel verwaltet wird und ein Immobilienmakler darum allein auf der Basis von Bedarf und Frechheit sein Dasein bestreiten kann. Irgendeine eigene Geschäftsidee muß man hier schon haben, denn eine überteuerte, kleine Wohnung in schlechter Lage, wie sie sonst das Hauptgeschäft dieser Branche ausmacht, findet in Berlin auch noch das blindeste Huhn.

Auf den ersten Blick ist es unverständlich, wie so eine Situation entstehen konnte. In Ostberlin gab es keine Wohnungen, weil sehr viele Menschen dorthin ziehen wollten: Die Versorgungslage war besser, was sowohl Nahrungsmittel als auch alle anderen Bedürfnisse des Menschen betraf. In Berlin gab es die besten Kinos, die besten Theater, die meisten Bücher oberhalb der Ladentische und das beste Nachtleben.

Die im Krieg zerstörten Altbauten wurden nur selten wieder aufgebaut, so daß die Häuserreihen der Innenstadt aussahen wie die Gebisse von Schulanfängern. Lieber baute man am Stadtrand riesige Siedlungen aus Betonfertigteilen, die damals ungemein beliebt waren. Das bedeutete für die Bewohner der Altbauten: Kohlentragen in den vierten Stock, Morgentoilette auf dem Außenklo und Warmduschen nur so lange, wie der Boiler hielt. Und wenn einmal ein Haus zu baufällig war, dann war die Heilmethode häufig schlimmer als die Krankheit: Lästiger Stuck wurde ebenso abgeklopft wie baufällige Balkone, altertümliche Dielen wurden mit Estrich übergossen und mit Linoleum überklebt, verschwenderische Doppelkastenfenster gegen schlecht schließende Produkte aus volkseigener Produktion ausgetauscht. Kurzum, man wohnte gern in Marzahn, Hellersdorf und Lichtenberg, mit Zentralheizung, Warmwasser und Fahrstuhl. Und darum waren dort Wohnungen auch nur schwer zu bekommen.

Zwar gab es eine zentrale »Wohnraumlenkung«, die dazu dienen sollte, daß möglichst jeder ein Zimmer zum Wohnen hatte, aber auch dieses zentralistische Projekt der deutschen Pseudosozialisten scheiterte. Das Regelwerk funktionierte nach den Mechanismen besten preußischen Beamtentums: Es bestrafte diejenigen, die sich daran hielten, und belohnte jeden, der die Regeln mißachtete. Als meine Mutter mit mir im achten Monat schwanger war, wagte sie, in der Wohnraumlenkung des Stadtbezirks Treptow vorzusprechen. Dort brachte sie das kühne Ansinnen hervor, für ihre Familie den Berechtigungsschein für eine Vier-Raum-Wohnung* zu

* Im Osten hieß es »Ein-Raum-« oder »Vier-Raum-Wohnung«. Ein ehrlicherer Begriff als das westliche »Zimmer«. Schließlich ist nicht jedes Durchgangszimmer ein Zimmer, aber doch ein Raum. Der alte Ost-Sprachgebrauch setzt sich zunehmend überall durch, nicht zuletzt durch die erfolgreiche Popgruppe *2Raumwohnung*, die natürlich aus dem Westen kommt. Sängerin der *2Raumwohnung* ist die nymphengleiche Inga Humpe, Schwester von Annette, der legendären

erhalten. »Wieso denn eine *Vier*-Raum-Wohnung?« fragte die Dame hinter dem Schreibtisch nach Durchsicht aller Unterlagen spitz. »Sie sind doch nur drei Personen.« Meine Mutter war keine dumme Frau, aber sie hatte es geschafft, sich einen Rest von Naivität im Umgang mit Menschen durch dreißig Jahre Realsozialismus hindurchzuretten. Sie versuchte, den Blick der teigigen Sachbearbeiterin zu finden, zeigte auf ihren enormen Bauch und sagte: »Aber bald werden wir ja vier sein.« Die Wohnraumlenkerin ließ sich nicht durch Menschliches aus der Bahn bringen. Sie warf einen kalten Blick auf den Bauch, in dem ich damals wohnte, und sagte: »Na, wir wollen doch erst mal sehen, ob es Leben hat.«

Das Problem an der Wohnraumlenkung war, daß sie auf falschen Annahmen beruhte. Eine der falschen Grundannahmen war es, daß die Bürger der DDR so begeistert vom Sozialismus waren, daß sie dem Staat gegenüber immer ehrlich handeln würden. Wohnungen waren in Ostberlin legendär billig. Man bezahlte etwa eine DDR-Mark pro Quadratmeter, und Mietschuldner wurden höchstens durch Umsetzung in kleinere Wohnungen bestraft. Wenn man erst mal an die Wohnungen herangekommen war, konnte man es sich problemlos leisten, eine oder mehrere solcher Wohnungen zu halten und die Miete weiter zu bezahlen. Man vermietete die übrigen Wohnungen lieber für einen netten Zugewinn unter der Hand weiter oder ließ sie einfach leer stehen. Die Wohnungsverwaltung hatte keinerlei Überblick.

Sängerin der legendären NDW-Band »Ideal«, von der die Westberliner Nationalhymne »(Ich steh' auf) Berlin« stammt.

Daher gab es die Regelung der »Leerstandsmeldung«. Wer der Wohnraumlenkung mehrere leerstehende Wohnungen melden konnte, erhielt eine dieser Wohnungen. So kam ich mit achtzehn zu meiner ersten eigenen Wohnung. Damals war die große Ausreisewelle, und leere Wohnungen gab es genug. Wenn man die Augen offenhielt, konnte man schnell ein paar Adressen angeben. Wie es damals üblich war, unterschrieb ich den Mietvertrag und erhielt ein paar Schlüssel, von denen keiner auch nur im entferntesten etwas mit der Wohnung, dem Keller oder der Haustür zu tun hatte. Diese Schlüssel hatten bloßen Symbolcharakter, die Wohnraumlenkung wollte dem neuen Mieter irgend etwas in die Hand geben. Wie damals üblich, brach ich die Tür meiner neuen Wohnung auf, baute mir mein mitgebrachtes Türschloß ein und war für eine ganze Zeit einer der glücklichsten Achtzehnjährigen der Welt.

So war die Lage in Ostberlin; hier waren Wohnungen also knapp. Und im Westen? Waren die Wohnungen auch knapp, legendär knapp. Es fehlte schlicht die Möglichkeit für den Mittelstand, vor die Tore der Stadt zu ziehen, weil die Tore der Stadt durch die Grenztruppen der DDR ungewöhnlich gut befestigt waren. Wer viel Geld hatte, konnte sich natürlich eine Villa am Wannsee kaufen, und wer es grün mochte, zog nach Spandau. Aber die Preise für das Häuschen im Grünen, diesen deutschen Traum, waren unvergleichlich hoch. Die bürgerlichen Viertel von Charlottenburg, Steglitz und Tiergarten waren irrsinnig gefragt.

Studenten bevölkerten die Stadt und blieben lange, denn wer sein Studium in Regelstudienzeit absolvieren wollte, hätte doch auch gleich in Heidelberg oder

Göttingen bleiben können. Wehrdienstverweigerer, Freunde der lauten Musik, Protagonisten der avantgardistischen Kunst und weitere Menschen auf der Suche nach dem ewig ätherisch flüchtigen Weltmittelpunkt der Boheme kamen nach Berlin. Sie alle suchten billigen Wohnraum. Die Immobilienmakler, denen es damals noch besser in dieser Stadt gefiel, versuchten nun, alte Häuser nicht mehr für Billigmieten zu verschleudern, sondern sie zu »entwickeln«. Der Druckunterschied zwischen den wohnungssuchenden Massen und der vakuumartigen Leere der Spekulationsobjekte führte schließlich ab dem Ende der siebziger Jahre zum »Häuserkampf«, in dem sich die Hausbesetzerbewegung nahm, was herumstand. Gruppen von Menschen bezogen in Nacht-und-Nebel-Aktionen Häuser, die seit Jahren leer standen, und hängten Transparente auf mit Slogans wie: »Die Häuser denen, die drinnen wohnen!« »Instandbesetzen« nannte man diesen unrechtmäßigen Erwerb von Wohnraum.

Die allgegenwärtige *BZ* rief daraufhin mal wieder die »braven Bürger« Berlins zu mehr Wehrhaftigkeit und Wachsamkeit auf. Ein Berliner Künstler, der damals noch bei seinen Eltern im ersten Stock eines schicken Zehlendorfer Einfamilienhäuschens wohnte, hängte in jener Zeit ein Laken aus seinem Elternhaus: »Dieses Haus ist besetzt«. Das Laken hing keine zehn Minuten, da rückte die Polizei mit großer Mannschaft an, um den vermeintlichen Anfängen in Zehlendorf zu wehren.

Auch noch Ende der achtziger Jahren, als der Häuserkampf längst durch die Besetzer gewonnen war, die Mietverträge mit dem Berliner Senat machten und sich nach und nach ihre wilden Besetzerburgen zu den gemütlichen Eigentumswohnungen ausbauten, die sie schon von ihren Eltern kannten, war die Wohnungsknappheit in Westberlin eklatant. Allerdings war die Zeit der Aufstände vorbei, mittlerweile saß die erste Revoltengeneration schon fest in allen Parlamenten, und deren Kinder wollten etwas anderes als ihre Eltern machen. Also kauften sich junge Menschen »Suche Wohnung«-T-Shirts, auf denen man nur noch die Zimmerzahl, Komfortstufe und Maximalmiete ankreuzen mußte, und liefen damit durch die Stadt. In Westberlin wimmelte es von Wohngemeinschaften, die nur in den seltensten Fällen mit einem übertriebenen Bedürfnis nach menschlicher Nähe zu tun hatten.

Der aufmerksame Leser mag sich nun fragen, wie aus der Vereinigung zweier wohnungsknapper Stadt-Teile ein Eldorado für Mieter hervorgehen konnte. Hatte der Fall der Mauer noch weitere Wunder neben dem hervorgebracht, das der Fall selbst schon bedeutet hatte? Nicht wirklich, wie man im modernen Sprachgebrauch sagen würde. Es gab wohl drei wesentliche Faktoren, die zu diesem Umschwung führten.

Erstens wurde das Wachstumspotential von Berlin kurz nach der Wende gnadenlos überschätzt. Alle gaben sich überzeugt davon, daß hier der Schreibtisch entstehen würde, auf dem Moskau und London ihre Verträge miteinander aushandeln würden. Man rechnete damit, daß sich binnen kurzem mehrere Flugzeugwerke, die Mehrzahl aller Medienkonzerne der Welt sowie das Internet selbst hier ansiedeln würden. Niemand wagte dem zu widersprechen. Die Politiker wollten sich möglichst wiedervereinigt geben, und die Berliner Presse hat es noch nie als ihre Aufgabe angesehen, Berliner Großmannsträume zu hinterfragen. Die Banken bestärkten willige Investoren nur allzugern in diesem Irrglauben, verteilten nach links und nach rechts riesige Kredite. Immobilienfinanzierung wurde als Gelddruckmaschine angepriesen. Denn schließlich könne man ja die Hälfte des Kredites steuergünstig abschreiben, da wäre es doch egal, wenn der Preis der Wohnung doppelt so teuer war. In kürzester Zeit entstanden Millionen von Quadratmetern von Büroflächen, entstanden und standen leer. Das Internetgeschäft ging kaputt, die Industrie ging nach Polen oder Asien, und Moskau blieb in Moskau. Es gab auf einmal in Berlin so viel leerstehende Geschäftsfläche, daß noch jeder Berliner Arbeitslose sein eigenes, großzügiges Büro hätte beziehen können.

Zweitens erwies es sich nun unerwartet als ein Vorteil, daß die ostdeutschen Altbauten jahrzehntelang vernachlässigt worden waren. So hatten sie die Moderne architektonisch einigermaßen unbeschadet überstanden und konnten jetzt postmodern saniert werden. Der Stuck wurde restauriert, die Dielen abgeschliffen, die Balkone erneuert, und die Tauben wurden aus den Dachböden verscheucht, um dort riesige Dachgeschoßwohnungen anzulegen. An den in Zuckerbäckerfarben gestrichenen neuen Fassaden konnte man erkennen, wo die Eigentumsverhältnisse der Immobilie geklärt waren, während die strittigen Objekte weiter in stolzem Tiefgrau trotzig in den Häuserreihen standen und aus ihren Außentoiletten widerspenstig stanken. Doch lange hielt sich das Tiefgrau nirgends. Zuerst war der Stadtbezirk Prenzlauer Berg an der Reihe, und als man zehn Jahre später damit fertig war, kam der Friedrichshain, den man jetzt noch neuer und noch schicker sanieren konnte. Waren im Prenzlauer Berg noch Ein-Raum-Wohnungen ausgebaut worden, kam so etwas im Friedrichshain nicht mehr vor. Ein-Raum-Wohnungen nahmen nicht mal mehr die Studenten.

Drittens setzte die Stadtflucht ein. Kleinmachnow, Groß-Glienecke und Oberkrämer hießen die neuen Orte der Sehnsucht für den Berliner Mittelstand. Die Westberliner schwärmten aus und suchten sich möglichst schöne Flecken im Grünen, wohin sie endlich ihr Häuschen setzen konnten. Aber auch die Ostberliner lernten schnell und wollten Brandenburger mit Berliner Arbeitsplatz werden. Im Osten hatte es hauptsächlich die berühmten *Datschen** gegeben, zu denen man am Wochenende mit der S-Bahn oder dem Vorstadtzug fuhr. Nicht sehr viele Familien besaßen ein Auto, und der Besitz von zwei Autos war nahezu unbekannt. Wohlbekannt ist, daß man auf den regulären Erwerb eines Autos in der DDR vierzehn Jahre lang warten mußte.** Inzwischen brauchte keiner mehr zu warten, und so zogen nach und nach auch die Ostberliner mit geklärten finanziellen Verhältnissen vor die Tore der Stadt, wo bald der sogenannte »Speckgürtel« Berlins

---

* Abgeleitet von »Дача«, was im Russischen soviel wie Landhaus oder Sommerfrische bedeutet.
** Allerdings erwarb kaum einer sein Auto auf diese reguläre Art. Der Schwarzmarkt blühte. Die DDR war eines der wenigen Länder, in denen gebrauchte Autos um ein Vielfaches teurer als Neuwagen waren. Außerdem fand sich jeder Jugendliche an seinem 18. Geburtstag in der zuständigen Behörde ein, um sich für ein Auto anzumelden. Die Anmeldungen konnte man sowohl verkaufen (pro Jahr abgelaufener Zeit bekam man ca. 1000 Mark, ein Vermögen) als auch vererben!

entstand. Für Brandenburg war das eine Freude, für Berlin war es ein Problem, weil die besten Steuerzahler ihre Pflicht nun gegenüber den Brandenburger Finanzämtern erfüllten.

Die Lage auf dem Wohnungsmarkt ist weiterhin äußerst entspannt. Verglichen mit einem Zupfinstrument, auf dem die stärker gespannten Saiten hohe Töne und die weniger gespannten Saiten tiefere Töne machen, so wäre dem Berliner Wohnungsmarkt derzeit überhaupt kein Ton zu entlocken. Man muß aber kein Genie sein, um vorauszusagen, daß sich die Zeiten irgendwann einmal auch wieder ändern werden. Dann wird sich glücklich preisen, wer jetzt schon einen unbefristeten Mietvertrag abgeschlossen hat.

Man kann sich also aussuchen, wo man wohnen möchte, und weil die Mietpreise überall vergleichsweise günstig sind, sucht man sich seinen Bezirk am ehesten nach dem bevorzugten Lebensgefühl aus. In Bezirken wie Spandau, Köpenick und Treptow wohnen Menschen, die Grün und Wasser lieben und nicht täglich den hektischen Puls der Großstadt schlagen hören müssen. In Charlottenburg und Schöneberg wohnen Bürgertum und Mittelstand, die gern auch preisgeben, »Westberliner« zu sein. Wilmersdorf und Steglitz stehen im Ruf, politisch äußerst konservativ zu sein.* Im Friedrichshain wohnen partylustige Studenten, manche Bürgersteige sind hier im Sommer nicht mehr zu sehen, weil sie von Stühlen und Tischen der anliegenden Cafés nur so

---

* Aus dem Musical »Linie 1«: »Wir Wilmersdorfer Witwen verteidigen Berlin, sonst wär'n wir längst schon russisch, chaotisch und grün...«

zugestellt sind. Die Bewohner vom Prenzlauer Berg waren früher einmal partylustig, heute haben sie Arbeit und Kinder. In Marzahn und Hellersdorf wohnen viele Menschen, die sich selbst als »Ostberliner« bezeichnen würden und den Vollkomfort ihrer Plattenbauten dem modischen Schnickschnack renovierter Altbauten vorziehen. In den Bezirken Wedding und Neukölln wohnen viele Menschen mit ausländischem Paß und Deutsche, die eine profunde Abneigung gegen alles Schicke haben.

Kreuzberg ist differenziert zu betrachten, bis heute unterteilen es seine Einwohner in die alten Postzustellbezirke Südost 36 (SO 36) und Südwest 61 (SW 61). SO 36 ist der kleinere, deutschlandweit aber besser bekannte Teil Kreuzbergs. Hier wird das revolutionäre Image noch gepflegt. Und man ließ es sich gefallen, bezüglich des Sanierungszustandes von den alten Ostbezirken überholt zu werden. In 36 kann man dafür den besten Döner Berlins essen, wenn es so etwas gibt. Kreuzberg 61 ist der etwas gediegenere Teil-Ortsteil, hier wimmelt es vor Restaurants aller Küchen der Welt und Läden mit allerlei alternativem Zeugs. Aber natürlich verachten die Bewohner von SO 36 die biederen 61er.

Dann gibt es noch eine Menge von Wohngebieten für spezielle Bedürfnisse. Cowboys sollten in der Nähe der »Old Texas Town« in Charlottenburg siedeln, weil sie dort allabendlich Gleichgesinnte im Stetson treffen können. Viele Schwule wohnen rund um die Fuggerstraße in Schöneberg oder in der Gegend um die Gleimstraße im Prenzlauer Berg, wo die Wege zu Clubs und Läden kürzer sind.

Man findet also alles Erdenkliche. Wenn sich der Berliner einmal für einen Bezirk entschieden hat, dann bleibt er ihm treu. Die Berliner sind statistisch belegbar ein sehr seßhaftes Völkchen. Bis heute ziehen sie zum allergrößten Teil nur innerhalb ihres Stadtbezirks um. Zum Beispiel fanden 2004 von insgesamt 382 000 Berliner Umzügen mehr als 221 000, also fast 60 Prozent, innerhalb desselben Bezirks statt. Und von den wenigen Umzügen über die Bezirksgrenzen hinweg ging etwa ein Drittel in einen Nachbarbezirk.*

Alles im Leben hat jedoch seinen Preis, und die Leute in Köln und New York, mehr noch die Menschen aus München und gewiß die aus Tokio sollten sich genau überlegen, ob sie bereit wären, den Berliner Preis für billige Wohnungen zu bezahlen. Denn in Berlin bekommt man mit seinem Mietvertrag immer auch eine soziale Aufgabe übertragen. In jedem mir bekannten Mietshaus dieser Stadt gibt es nämlich mindestens eine Familie, die für alle anderen Bewohner eine Herausforderung darstellt. Diese Familie lebt häufig zu zehnt in einer Zwei-Raum-Wohnung, und in dieser Zahl sind die Hunde nicht einmal eingerechnet. Wenn man nachts wegen des Lärms nicht schlafen kann und bei der Polizei anruft, dann bekommt man die lapidare Antwort: »Da kann man nichts machen.« An Silvester hilft nur Beten, wenn man nicht möchte, daß zur Jahreswende dort die große Party steigt. Dann kann man sich sicher sein, am Neujahrsmorgen die von Chinaböllern der Güteklasse D ausgebrannten Briefkästen in dem Erbrochenen der Festgesellschaft liegen zu sehen. Und das nur in dem

---

* Vielen Dank an das Statistische Landesamt für die detaillierten Informationen!

glücklichen Fall, daß das Haus selbst nicht durch das polnische Feuerwerk niedergebrannt ist. Eine solche Familie hat eben jeder in seinem Berliner Mietshaus, und wenn man *das* nicht will, dann muß man auch eine Miete für seine Wohnung bezahlen, die den internationalen Vergleich nicht scheuen muß.

Speck und Gürtel

Man kann nach dem morgendlichen Aufstehen direkt aus der Haustür in einen dichten Mischwald gehen. Man kann sich abends mit einer Fähre zu seiner Heimatinsel übersetzen lassen. Man kann im Gemüseladen ein Gespräch mit der wunderlichen Dame in der Kittelschürze führen. Und man muß in der Kneipe aufpassen, daß man sich nicht uneingeladen an den Stammtisch setzt. Man kann natürlich in den Schützenverein eintreten, vielleicht möchte man auch lieber bei den Briefmarkensammlern mitmachen. Man kann die alten Möbel, die man findet, zum örtlichen Heimatmuseum tragen. Und man kann sich schon darauf freuen, daß einmal im Jahr im ortsansässigen Kulturhaus die Schulaufführung vom »Sommernachtstraum« stattfindet oder daß die Don-Kosaken in der Kirche auftreten. Das alles kann man machen, *ohne* die Stadt Berlin zu verlassen.

Weshalb also Menschen, die in Berlin arbeiten, außerhalb dieser Stadt wohnen wollen, ist rational kaum zu erklären. Warum möchte der Mensch das Gefühl haben, daß das ihn umgebende Beton das Seine ist? Wahrscheinlich spielt der Neid eine wichtige Rolle. Denn wenn der ehemalige Nachbar sich ein Haus gekauft hat, dann möchte man sich selbst ein größeres Haus bauen. Oder sind es genetische Baupläne, die in der vierten Lebensdekade den Häuserbauer-Metabolismus des Menschen in Gang setzen? Es bleibt unklar, was die Menschen bewegt. Die Berliner müssen ihnen aber dankbar sein, denn sie halten den Wohnungsmarkt entspannt und die Immobilienmakler im Zaum.

Gern begründen die Stadtflüchtlinge ihre Entscheidung mit »den Kindern«. Die Kinder dürfen jedoch nicht über die Wiesen tollen, sondern müssen die frühe Phase ihrer Kindheit damit verbringen, über die Baustelle der Eltern zu stolpern und ja nicht zuviel Betonstaub einzuatmen. Steht dann irgendwann das Haus, müssen sie ihre Schule mit allen Kumpels verlassen, um vor Ort einer ganzen Schule voller ebenso frustrierter Gleichaltriger zu begegnen. Spätestens in der Sekundarstufe wollen die Eltern dann nicht mehr, daß ihre Kinder Brandenburger Schulen besuchen, und zumindest ein Elternteil meldet sich dafür mit den Kindern polizeilich wieder in Berlin an. So sitzt die ganze Familie in ihrem Haus und blickt stramm nach Berlin, aber auf den Nummernschildern – meist braucht man zwei Autos – steht kein »B« mehr als erster Buchstabe. Statt dessen steht auf den Nummerschildern zum Beispiel »MOL« (Landkreis Märkisch-Oderland) oder »BAR« (Landkreis Barnim), und mit diesen Nummernschildern beginnt die Entfremdung. Für die Bewohner Brandenburgs ist nämlich das Berliner Straßennetz auch nur eine besonders lange Baumallee, durch die sie nach Hause fahren wollen. Während die Berliner Motoristen ihre Fahrzeuge vorsichtig um die Ecke lenken, auf Umleitungen und Ampeln achten, wollen die Brandenburger nur schnell nach Hause und bringen dies durch ihren Fahrstil zum Ausdruck. Daher haben sich bestimmte Übersetzungen der Nummernschilder in Berlin eingebürgert, »MOL« wird meist übersetzt mit »meine Oma lenkt«, »BAR« steht in Berlin für »Bauer auf Reisen«.

Wenn das gute Leben beginnen könnte, leben »die Kinder« leider nicht dort, wo das gute Leben stattfindet, nämlich in Diskos, Clubs, Cafés und auf den Plätzen Berlins, sondern sie leben vor den Toren der Stadt. Sie haben nun die Wahl, sich von ihren Eltern überall mit dem Auto hinfahren zu lassen oder jede Party einige Stunden vor deren Höhepunkt zu verlassen, um noch die letzte S-Bahn zu erwischen, die sie irgendwo in der Nähe der Behausung ihrer Eltern absetzt. Sobald sie die Volljährigkeit erreichen, fliehen die Kinder der Stadtflüchtlinge übrigens vom Land und ziehen in die Heimatstadt der Eltern zurück.

Anfangs betonen alle Freunde, die in Berlin bleiben, wie unglaublich sie sich freuen und daß es nichts Besseres gebe und daß sie gern an jedem Wochenende zu Besuch kommen würden. Und deshalb baut man auch ein Gästezimmer und überlegt, wo noch weitere Gäste schlafen können, wenn das Gästezimmer voll ist, weil sich ja schließlich so viele Freunde angekündigt haben. Doch wenn das Haus erst fertig ist, paßt es den meisten niemals, oder sie haben sich ein eigenes Haus gebaut und kommen nur vorbei, wenn auch ein Gegenbesuch garantiert wird. Spätestens am frühen Nachmittag fahren sie dann wieder ab. Irgendwann steht man dann eines Tages wieder bei seinen Berliner Freunden vor der Tür – obwohl die eigentlich kein Gästezimmer haben – und fragt, ob man mal eine Nacht bei ihnen schlafen könne. Und dann schmeißt man sich noch einmal mit Verve in das Nachtleben von Berlin. So entdeckt man den eigentlichen Sinn des Wegziehens: endlich wieder zu Hause ankommen zu können.

Hauptsache satt

Machen wir uns nichts vor: Es ist nahezu unmöglich, im Norden Deutschlands etwas Vernünftiges zu essen zu bekommen. Oder zu trinken. Dieser Teil unseres Landes ist zu oft von wüsten Heeren aus dem Norden heimgesucht worden, wilden Wikingern, bösen Barbaren. Der Nordeuropäer ißt, um satt zu werden. Er trinkt Wasser, um seinen Durst zu stillen. Und er trinkt Alkohol, um betrunken zu sein. Der Nordeuropäer zerquetscht alle Kartoffeln, die auf seinem Teller liegen, und gießt Soße darüber. Der Nordeuropäer dreht auch gern das Fleisch vor dem Essen durch den Wolf, damit er es einerseits mit Semmelbröseln strecken und andererseits schnell in sich hineinstopfen kann. Der Nordeuropäer trinkt lieber eine Flasche gebrannten Wein als ein Glas Merlot. Seine südlichen Nachbarn, die Mahlzeiten in Gänge unterteilen und zelebrieren, die Wein über ihre Zunge rollen lassen und nicht mehr als ein Fläschchen davon trinken, betrachtet er mit äußerstem Argwohn.

Machen sie sich nicht möglicherweise der Völlerei allein schon dadurch schuldig, daß ihnen das Essen schmeckt? Dem Nordeuropäer könnte so was nicht passieren. Möglicher Restgeschmack wird mit einem Schnaps sofort von der Zunge gespült.

Zwar kann man sich streiten, ob die kulinarische Grenze im nördlichen Hessen oder im südlichen Niedersachsen verläuft, man kann sich darüber unterhalten, welche Gebiete Sachsen-Anhalts möglicherweise noch zur kulinarischen Südhälfte gehören, eines jedoch steht fest: Berlin liegt nördlich dieser Linie. Ein Freund von mir besitzt das Buch »Berliner Küche. Mit zahlreichen farbigen Illustrationen«. Das Buch sollte kindersicher aufbewahrt werden und in keinem gut sortierten Horrorromanregal fehlen. Die zahlreichen Fotos brauner und grauer Klumpen auf Tellern mit Zwiebelmuster verursachen Übelkeit. Ein gerichtsmedizinischer Bildband wirkt dagegen erholsam wie ein Kinderbuch. Wenn man die Berliner und Brandenburger machen lassen würde, gäbe es weder Salat noch Käse oder frisches Gemüse, lediglich die amerikanische Segnung der Kartoffel und das Sauerkrautfaß würden dem Ausbruch von Skorbut entgegenwirken.

Am schnellsten kann man den kulinarischen Zustand einer Stadt wohl an der Anzahl ihrer Bäckereien ablesen. Berlin hat kaum noch welche. Zwar gibt es unzählige »Back-Shops«, gern auch mit einem Apostroph irgendwo,[*] doch das sind keine Bäckereien. Nein, es lohnt sich »Back-Shop« aus dem Englischen ins Deutsche zu übersetzen, weil die Übersetzung »Rückwärts-

---

[*] Mit solchen Konstruktionen wie »Ine's Back-Paradie's«.

gewandter Laden« der wahren Bedeutung erschreckend nahekommt. »Back-Shops« sind Elektrobrot-Luken, die Lastwagenlieferungen tiefgefrorener Teigbatzen aus Teigbatzen-Fabriken in Zeitschaltuhr-Elektroöfen den Anschein von Brot und Brötchen verleihen. Noch auf dem Weg von der Elektrobrot-Luke nach Hause werden diese brötchenähnlichen Gebilde in der Tasche trocken und ungenießbar. Sie zerbröseln bei der bloßen Berührung durch ein Frühstücksmesser.

Früher konnte man in den »Back-Shops« noch eine Tasse »Kaffe« bekommen, um das trockene Backgut anzufeuchten. Dieses richtigem Kaffee durchaus unähnliche, braune und bittere Aufgußgetränk ist mittlerweile auch in Berlin weitgehend von solchen Getränken wie »Latte« oder »Kappu« verdrängt. »Latte« und »Kappu« kommen in den »Back-Shops« aus einem Plastikautomaten, von dem aus sie in einen Plastikbecher fließen. Sie sind doppelt so teuer wie früher der Kaffe, aber dafür erhält man noch einen Plastikstab dazu, mit dem man in seinem neuen Heißgetränk herumrühren kann. Den vorherrschenden Geschmack dieser Getränke kann sich der aufmerksame Leser der letzten Sätze selbst denken, alle anderen mögen es herausfinden und sich selbst damit zu aufmerksamen Lesern der Zukunft erziehen.

Ich kenne in Berlin mehr als fünf Comicläden, viele Läden für gebrauchte Platten und drei Krimibuchhandlungen. Aber ich kenne nur eine einzige vernünftige Bäckerei, in der man Brot, Brötchen *und* Kuchen kaufen kann. Das schelmenhafte Schicksal hat diese Bäckerei ausgerechnet nach Lichtenrade verlegt. Von meiner Wohnung aus erreiche ich Lichtenrade frühestens nach zwei beschwerlichen Tagesreisen. Ich bin mittlerweile schneller in Toulouse als in dieser letzten echten Bäckerei. Deren Namen zu nennen verbietet sich an dieser Stelle, allein schon weil ich bei den seltenen Besuchen dort nicht noch länger als bisher anstehen möchte.

Diese Bäckerei ist legendär. In der langen Warteschlange treffen sich Backwarenfreunde aus der ganzen Stadt und schauen sich verschwörerisch an. Viele Zugezogene sind darunter, aber auch Eingeborene, die versuchen, ihre Köpfe in den hochgezogenen Mantelkragen verschwinden zu lassen.

Meine Frau hat sie entdeckt, weil eine Spezialarztpraxis in der Nähe liegt. Nie zuvor habe ich so darauf geachtet, daß meine Frau pünktlich ihre Nachsorgetermine wahrnimmt wie bei dieser Spezialarztpraxis in Lichtenrade. Ich habe sogar allen möglichen Bekannten übertriebene Ängste eingeredet (»Laß das lieber mal nachgucken, könnte ja was Ernstes sein«), nur um an die herrlich duftenden Kartoffelbrötchen dieses Bäckers heranzukommen. An der Einmaligkeit einer solchen Einrichtung lese man ab, wie schlecht es um die Backkunst in der Stadt bestellt sein muß.

Ein noch aussagekräftigerer Indikator für die Qualität einer Küche ist in Deutschland die Qualität der Soßen. In manchen Regionen wird eine Mehlschwitze zubereitet, andere dicken die Soße mit Stärke oder Johanniskernmehl an oder seihen einfach die angebratenen Gemüse durch ein Sieb, wodurch vollkommen auf zusätzliche Bindemittel verzichtet werden kann. Es gibt regionale Unterschiede, ob man die Soßen lieber mit Rosmarin, Rotwein oder Thymian abschmeckt. Es gibt die Bechamel, die Béarnaise, die Diable. In Berlin hat man die Wahl zwischen Ketchup, Mayo oder Senf. Alle anderen Soßen kommen aus der Tüte und schmecken auch so, daher sollte man genau nachfragen, bevor man sich zur Saison holländische Soße auf seinen Spargel kippen läßt, man könnte es für den Rest des Tages bereuen.

In der Küche des Berliners passiert selten viel. Meistens gibt es »Stulle mit Brot«, weil das ja reicht, um satt zu werden. Und wenn jemand bei sich zu Hause etwas mit Salat, frischen Kräutern und Reis zubereitet, schließt er lieber die Vorhänge, um nicht den Zorn der Nachbarn auf sich zu ziehen. Wie nirgendwo anders denkt man darum beim Stichwort »Berliner Küche« sofort an die zahllosen Imbißbuden. Leider zu Recht. Mit ganzen Fleischstücken kann der Berliner nicht umgehen, diese kommen höchstens mit Panade getarnt auf den Tisch. Am meisten schätzt der Berliner das durchgedrehte Fleisch: Buletten, Bock-* und Currywürste sind die typischsten Berliner Gerichte, serviert mit einem schönen Kartoffelsalat, bestehend aus ge-

---

* Die Bockwurst ist übrigens sogar in die Medizingeschichte eingegangen. Teile des U-Bahn-Netzes verkehren überirdisch, und unter den Gleisen stehen bis heute Imbißbuden. Wenn die Arbeiter von der Schicht kamen, sich noch schnell eine Bockwurst kauften und dann auf den Gleisen ihren Zug herannahen hörten, kam es mitunter dazu, daß ein Arbeiter vor Schreck seine bereits an den Mund geführte Bockwurst quasi einatmete und auf der Stelle umfiel. Wenn man jetzt nicht sofort die Bockwurst aus der Luftröhre entfernte, verstarb das Opfer am vom großen Berliner Pathologen Virchow so genannten »Bolustod«, auch genannt der »Berliner Bockwursttod«. Das Phänomen beruht auf einer Nervenreizung. Wenn man die Wurst entfernt, kommt es zur Sofortheilung. Wahrscheinlich deshalb werden die Würste unter den Gleisen heute nur noch gestückelt verkauft.

kochten Kartoffeln und ein paar sauren Gurken, die in Mayonnaise schwimmen. Befindet man sich in einem Tempel der Berliner Spitzengastronomie, erhält man noch eine ungetoastete Scheibe Toastbrot dazu. Jedenfalls wird man satt. Und das ist immer noch besser, als einer Berliner Kneipe irgendwelche gewagten Experimente abzufordern. Hier sollte man kein Cordon bleu bestellen, die Enttäuschung könnte riesig sein, aber bei Eisbein mit Erbsenpüree und Salzkartoffeln bekommt man sicher, was man bestellt hat, denn jede Abweichung vom Originalrezept würde die Zubereitung teurer machen.

Man sollte sich auch nicht von Namen täuschen lassen. Ein Restaurant mit dem Namen »Chez Sandrine«, dessen Besitzerin, sagen wir, Sandrine Madraux heißt, kann durchaus eine aufgeplatzte Bockwurst als einziges akzeptables Gericht auf der Speisekarte führen. Außer den französischen Namen haben die Hugenotten nämlich wenig aus ihrer alten Heimat nach Berlin retten können. Auch von den Russen ist kulinarisch noch wenig in der Stadt zu spüren. Ehemalige Balkanbewohner betreiben praktisch ausschließlich italienische Restaurants, so daß der Berliner verwundert ist, wenn es ihn einmal in einen von Italienern betriebenen Italiener verschlägt. Unter Umständen ist der echte Italiener dann nämlich »kein richtiger Italiener«, weil es dort weder Pizza noch Spaghetti zu essen gibt.

Neben Pizzaläden sind noch die Asiaten stark vertreten. Unter der Nationenbezeichnung »Chinesisch«, in letzter Zeit auch verstärkt »Thailändisch« oder »Indisch«, bereiten sie den Berlinern Gerichte zu, die es in den angeblichen Ursprungsländern überhaupt nicht gibt.

Denn die Wahrheit ist doch, daß der Wunsch nach exotischem Essen meist nicht sehr weit geht.

Einen bleibenden Eindruck auf die Berliner Feinschmeckerei haben jedoch mit Sicherheit die Türken gemacht. Ich wage vorherzusagen, daß innerhalb weniger Generationen schon kein Mensch mehr wissen wird, daß der Döner ursprünglich ein türkisches Gericht gewesen ist. Diese Fleischfetzen in Hefebrot mit Krautsalat und Soße sind vielleicht das wichtigste gastronomische Ereignis für die Berliner Küche seit der Einführung der Kartoffel. In seiner hier verbreiteten Form gibt es den Döner übrigens in der Türkei nur unter der Bezeichnung »Berlin-Döner« zu kaufen.

Die Palette der Berliner Getränke ist schnell abgehandelt: Bier. Es gibt Malzbier für die Kinder, das nicht mehr Malzbier heißen darf, sondern als »Malztrunk« ausgewiesen werden muß, aber natürlich unter dem Namen Malzbier bestellt wird, weil sonst kein Wirt weiß, wovon die Rede ist.

Berliner Weiße ist ein Spezialgetränk, dessen Existenz erstmals 1575 urkundlich bestätigt wurde. Berliner Weiße ist ein normalerweise hefetrübes, alkoholarmes Bier aus Weizen- und Gerstenmalz. Sie wird halb vergoren auf Flaschen gezogen, wo sie dem Champagner gleich ihren letzten Reifungsprozeß durchläuft. Als die Flaschen noch nicht ganz zuverlässig waren, vergruben die Wirte die Weiße darum lieber in ihren Kellern, um die gelegentlichen Explosionen im Sand verlaufen zu lassen. Wegen ihres säuerlichen Geschmacks begann man im 19. Jahrhundert, der Weiße Sirup beizumischen, und ist bis heute dabei geblieben. Diese »Weiße mit Schuß« erfreut sich besonders im Sommer bei Frauen und Touristen großer Beliebtheit. Dabei ist die Bestellung einer Weiße durchaus eine komplizierte Angelegenheit. Man muß sich überlegen, ob und wieviel vom grünen oder roten Sirup man in sein Glas haben möchte. So kann man »eine Weiße mit viel rotem Schuß« oder »eine Weiße mit ganz wenig Grün« bestellen. Berliner Männer trinken Weiße allenfalls heimlich, weil es irgendwie als Memmengetränk gilt.

Westberliner Männer trinken vornehmlich *Schultheiss*, und Ostberliner Männer trinken vor allem *Berliner Pilsner*. Trotz dieser scheinbar strikten Trennung werden beide Biersorten von ein und derselben Firma hergestellt. Absolut dominierend sind also Biere Pilsner Brauart, die untergärig und relativ stark gehopft sind. Ein unabhängiger Gutachter, der mit verbundenen Augen eine Prüfung der Berliner Biersorten vornähme, würde sich vielleicht über die etwas zu grobblasige Kohlensäure, das wenig sorgfältig gebrannte Malz und die geschmacklich bestenfalls schlicht zu nennende Hopfung beschweren. Er würde sich wundern, warum in einer solchen Biertrinkerstadt kein besseres Brauereihandwerk ausgeübt wird, obwohl in dieser Stadt seit 1883 sogar die »Versuchs- und Lehranstalt für Brauerei« angesiedelt ist, die sich der wissenschaftlichen Verbesserung des deutschen Bierguts verschrieben hat. Trotzdem läßt der Berliner natürlich nichts auf seine Molle kommen, und der Gutachter kann ja nach drüben gehen.

Andere Getränkesorten wie Hefeweizen oder Kristallweizen werden für Pseudointellektuelle und Zugezogene vorgehalten. Mexikanisches Dünnbier wird in kleinen Flaschen zu teuren Preisen an Spinner ausgeschenkt. Und für alle, die nicht gern Bier trinken, gibt es wie überall *Beck's*.

Und doch ist es so, wie es in einem amerikanischen Sprichwort heißt: »Wenn du in Rom bist, tue, was die Römer tun.« In unserer Welt der Übermobilisierung, Billigflieger und Freiheit des Individuums steht es jedem frei, nach Paris oder Zürich zu fliegen, um dort die vermeintliche Krönung kulinarischer Kunst zu genießen. Wen aber der Wind des Schicksals nach Manchester verschlägt, der sollte auch bereit sein, dort Fish and Chips zu essen. Und wer nach Berlin kommt, dessen kulinarischer Anspruch sollte darin bestehen, ob er die Soßenfarbe »Kräuter, Knoblauch oder scharf?« in seinem Döner möchte und ob er darauf besteht, daß die Currywurst auf einem Grill erhitzt wird oder auch schon mal in der Friteuse erwärmt werden darf.

Ganz und gar verboten gehören nämlich in Berlin die sogenannten feineren Restaurants. Deren wesentlicher Nutzen besteht nicht etwa in Zubereitung und Verkauf wohlschmeckenden Essens, sondern vor allem in dem von Soziologen so genannten Distinktionsgewinn: Wer in den feineren Restaurants der Stadt essen kann, der unterscheidet sich von dem vor der Imbißbude mampfenden Pöbel. Um diesen Unterschied zu unterstützen, haben diese Restaurants vor allem eine wesentliche Gemeinsamkeit: Die Preise sind überhöht.

Da sich aber der Gaumen der dort sitzenden Oberschicht trotz allen Geldes dennoch nicht vom Pöbel unterscheidet – in der Tat scheint es von jedem etwas bekannteren Berliner mehrere Fotodokumente anläßlich eines Imbißbudenbesuchs zu geben –, ist das, was im Inneren der feinen Restaurants passiert, teilweise haarsträubend. Die rauhe Berliner Herzlichkeit hat man in der Regel zugunsten purer Unhöflichkeit abgestreift. Wer nicht der Schah von Persien oder ehemaliger Mitwirkender einer Vorabendserie ist, bekommt nach mehrmonatiger Voranmeldung einen Platz bei den Toiletten. Wollte man gar kurzfristig versuchen, einen Tisch zu reservieren, so würde dieser vermutlich direkt in den Toilettenräumen stehen. Um sich möglichst klar von der bierseligen Gemütlichkeit der Kneipen zu distanzieren, erinnert das Ambiente meist an das gut ausgeleuchtete Studio einer Domina. Wände und Fußböden sind aus abwaschbaren Materialien, die Stühle zum Sitzen nicht geeignet, die Tische zu hoch.

Ganz furchtbar wird es dann, wenn das Essen auf diese Tische kommt. Es kann einem wohl nur in Berlin passieren, daß man ein »Cervelle de veau« ordert und das bestellte Kalbshirn *im eigenen Schädel* auf den Tisch gestellt bekommt. Neuerdings soll es auch Restaurants geben, in denen sich der Koch bemüht, alle Speisen mit Hilfe des *Vorwerk Thermomix* zuzubereiten, in dem die Lebensmittel atomisiert, mit Stickstoff aufgeschäumt und leicht erwärmt werden. Daß man bei einer romantischen Kerzenlicht-Verabredung mit seiner Herzensdame Mangoschaum auf Kartoffelschaum an Filetschaum für teures Geld einrüsseln soll, ist vielleicht nicht jedermanns Sache.

Die auf ihren Distinktionsgewinn bedachten Berliner schaufeln trotzdem alles mit Todesverachtung hinein. Wenn sie hinterher noch Hunger haben, wird sich auf ihrem Heimweg mit Sicherheit noch eine Imbißbude finden.

Brandenburg, Balkonien oder Balearen

Mit dem Ruf des Berliners ist es nicht zum Besten bestellt. Jedenfalls außerhalb der Stadtgrenze Berlins. Innerhalb dieser Stadtgrenze und immer wenn der Berliner Artgenossen trifft, gratuliert man sich zur eigenen Großartigkeit, schwärmt von der Köstlichkeit der Berliner Biere und von dem unvergleichlichen Flair der Stadt. Es sei denn, es kommt ein dritter Berliner hinzu. Ergibt sich nun die Konstellation, daß zwei der Anwesenden aus dem Osten sind und der andere aus dem Westen, dann wird der Westberliner bald das Weite suchen, und es wird wieder Frieden herrschen zwischen den beiden Ostberlinern. Es sei denn, es kommt ein dritter Ostberliner hinzu, und zwei der Anwesenden sind Weißenseer und der andere Treptower. Dann wird der Treptower bald das Weite suchen, und es wird wieder Frieden herrschen zwischen den Weißenseern. Es sei denn, es kommt ein dritter Weißenseer hinzu, und zwei der Anwesenden kommen vom Antonplatz und der andere aus dem Komponistenviertel. Das Ganze setzt sich im schlimmsten Fall bis auf die Ebene der Hausnummer fort.

Außerdem mag der Berliner die Leute von außerhalb nicht so besonders. Die Brandenburger sind ihm zu ländlich, die Hamburger zu städtisch, die Rheinländer zu fröhlich, die Bayern zu griesgrämig. Mit den Sachsen verbindet ihn eine jahrhundertealte Feindschaft, die beide Seiten liebevoll pflegen. So stehen Berliner Fußballfans gern volltrunken auf irgendeinem Bahnhof und brüllen lauthals in Richtung des vermeintlichen Gegners den beliebten Schlachtgesang: »Ihr seid nicht aus Berlin, nicht aus Berlin, nicht aus Berlin!« In Wirklichkeit ist dies vielleicht einer der friedlichsten Fußballgesänge überhaupt. Die Sänger denken »Ja!« und sind zufrieden. Aber die Besungenen denken auch »Ja!« und sind womöglich noch zufriedener.

Schon mit den Brandenburgern, die eigentlich eng verwandt mit den Berlinern sind, gibt es viele Probleme, obwohl unheimlich viele Brandenburger aus Berlin kommen. Die Brandenburger genießen die Monate zwischen November und Februar, wenn sie ganz unter sich sind und lokale Probleme pflegen können. Denn sobald die Temperaturen im zweistelligen Plusbereich sind, gibt es für die Brandenburger nur noch ein Problem: die Berliner, genannt »die Bouletten«. Sie kommen mit ihren Autos und Motorrädern, sie kommen mit dem Zug, der S-Bahn, mit Bussen, sie kommen in bunten Anzügen auf Fahrrädern, sie kommen mit dem Wanderstock, dem Jagdgewehr oder dem Reitanzug. Sie okkupieren die Seen, sie treiben die Ruhe aus den Wäldern, sie ernten die Pilze, sie verschmutzen die Gewässer. »Is det nich schön hier?« gellt es lauthals durch Wald und Flur. Am Sonntagabend besteigen sie dann wieder ihre Gefährte und hinterlassen nichts als Verwüstung.

Eine besondere Spezies sind die Berliner Bootsbesitzer, die an jedem Wochenende ihre teilweise recht beeindruckenden Jachten ein paar Meter weit in die Brandenburger Gewässer hineinbewegen, dort vor Anker gehen und erst am Sonntag wieder nach Berlin zurückkehren. Das Wochenende verbringen sie meist damit, bis zur Erreichung eines einheitlichen Rubintons der gesamten Haut nackt an Deck zu liegen und entweder an Bord oder am Ufer zu grillen. Bei den Brandenburgern heißen diese Schiffe, die monatelang jedes Wochenende vor ihren Ufern liegen, »Affenfelsen«.

Weil sich viele der Berliner, bevor sie losfahren, Geld in die Taschen stecken und es bis zum Sonntag auch ausgegeben haben für Bier und Würste und Eintrittsgelder und möglicherweise eine Übernachtung, erdulden die Brandenburger den ganzen Trubel, einschließlich derjenigen Berliner, die sich, bevor sie losfahren, Stullen, Bierkästen und Schlafsäcke einpacken und möglichst keinen Cent ausgeben übers Wochenende in der Fremde. Eine Fahrt mit der S-Bahn am Abend eines lauen Sommersonntags nach Berlin hinein kann unter Umständen einige Semester eines Soziologiestudiums ersetzen. Die Zunge inmitten der ohnehin schon freimütigen Berliner Schnauze durch einige alkoholhaltige Erfrischungsgetränke gelöst, gibt es keinerlei Hemmungen mehr, auch privateste Probleme offen zu diskutieren.

Insgesamt verläßt der Berliner aber nicht gern die

Grenzen seiner Stadt. Darum bleiben viele im Urlaub lieber gleich zu Hause, legen ihren Freizeitanzug an, schnallen sich eine bunte Gürteltasche um und bewegen sich als Touristen durch die eigene Stadt. Erfreut knipsen sie Fotos von ihrem Nachbarhaus und bestellen ausnahmsweise mal ein Glas Rotwein in ihrer Stammkneipe. Wenn sie die Langeweile packt, buchen sie bei einem Veranstalter eine Busrundfahrt durch die Stadt oder einen Ausflug in einen anderen Stadtbezirk. So ein Urlaub in »Balkonien« enthält für die meisten genau die richtige Mischung aus Bewährtem und Neuem und erfreut sich daher zunehmender Beliebtheit. Insbesondere die Vorhersagbarkeit des abendlichen Fernsehprogramms gilt als großer Pluspunkt.

Weil die Berliner Stadtteile nur lose miteinander verbunden sind und weil es um das Berliner Stadtgebiet herum noch viel Platz im märkischen Sand hat, gibt es mitten in Berlin sehr viele Kleingartenkolonien. So viele, daß landläufig angenommen wird, diese wären in Berlin erfunden worden. Man findet sie überall in der Stadt: inmitten von Autobahnkreuzen, zwischen Gleisanlagen, in der Nähe der Flughäfen. Osman Kalin zum Beispiel hat sich seinen Kleingarten auf einer dreieckigen Exklave der DDR eingerichtet, das auf der Kreuzberger Seite der Mauer lag, weil die DDR es mit ihren Betonsegmenten nicht einzäunen konnte. Allerdings war es vertragsgemäß eindeutig ostdeutscher Besitz, so daß sich niemand in Westberlin zuständig fühlte. Kalin kannte solche Hemmungen nicht und richtete sich seinen Garten ein. Die Geschichte sollte ihm recht geben. Selbst nach dem Fall der Mauer wagte man nicht, ihm seinen Garten wegzunehmen, so daß er im Rahmen von

Bestandsschutz quasi auf dem juristisch letzten Stück DDR sein Gemüse anbaut. Wenn mehr Berliner wüßten, daß die Schrebergärten ebenso wie der namensgebende Orthopäde Dr. Daniel Gottlob Moritz Schreber Leipziger Originale sind, es würde ihnen das Laubenpieper-Vergnügen wohl erheblich vermiesen.

Der Grund, aus dem die meisten Außenstehenden die Kleingartenkolonisten nicht verstehen, ist die Annahme, daß die Laubenpieper Ruhe und Erholung suchen würden. Diese Annahme ist nur teilweise richtig. Berliner Laubenpieper suchen Erholung, aber sicher keine Ruhe. Der Laubenpieper fühlt sich wohl, wenn er mit freiem Oberkörper, nur in Feinrippschlüpfer, Socken und Sandalen gewandet, neben seinem Grill für den am Vormittag neuerworbenen Liegestuhl zwischen Miniaturspringbrunnen, Gartenzwergen und Kunstteich noch einen Stellplatz findet, das Musikgerät in die Verteilerdose gesteckt hat und über seiner Parzelle eine akustische Schutzglocke zur Übertönung der Schutzglocken seiner Nachbarn errichtet hat. Soll der Tag perfekt sein, kommt der Kolonievorsitzende auf ein Bier vorbei und bescheinigt die vorbildliche Länge der Grashalme und die mustergültige Unkrautfreiheit.

Da die Errichtung fester Häuser in den meisten Kolonien verboten ist, kann man rund um die Uhr am Leben seiner Nachbarn teilnehmen. Die dünnen Wände aus Holz oder Gipskarton verbergen weder das Fernsehprogramm noch die Sexualgewohnheiten von nebenan. Den Kolonisten geht es also keineswegs um die Flucht aus der Stadt, sondern um die stärker erlebte Nähe zu deren Bewohnern.

Nur so sind übrigens auch die gutbesuchten Berliner

Badeseen zu erklären. Mit der S-Bahn könnte man Dutzende ruhiger Brandenburger Badeseen erreichen. Aber das ist ja gerade *nicht* der Sinn »vonnt Janze«. Man packt die Badehose ein, nimmt sein kleines Schwesterlein, und dann braucht man dringend irgendeine Art von Sonnenöl, um sich überhaupt noch zwischen die vielen Leiber am Freibad Pankow oder am eigentlich idyllischen Strandbad Wannsee quetschen zu können. Vorstellbar ist für manche Berliner höchstens noch ein Ausflug nach »Malle«, dem sechzehnten Berliner Stadtbezirk. Diese von der spanischen Regierung verwaltete Baleareninsel besitzt eine so gute Anbindung an das Berliner Nahverkehrsnetz, eine ausreichende Bierversorgung und vor allem genügend Berliner, daß sich eine Flugreise lohnt. Aber insgesamt bleibt der Berliner am liebsten zu Hause. Hier gefällt es ihm zwar auch nicht immer. Aber es mißfällt ihm hier erfahrungsgemäß weniger als anderswo.

Am Ende.
Statt eines Nachworts

Und seh' ich auch in Frankfurt,
München, Hamburg oder Wien
die Leute sich bemüh'n, Berlin bleibt doch Berlin.
Bully Buhlan,
»Ich hab' so Heimweh nach dem Kurfürstendamm« (ca. 1948)

Endlich war es geschafft. Nach Abschluß der Arbeit war
ich froh, beim Verlag das Manuskript für die Gebrauchsanweisung abgegeben zu haben. Zurück kam ein Brief
meines uneingeschränkt geschätzten Lektors:

»Lieber Jakob, vielen Dank. Ich habe ein paar Kom-
mafehler angestrichen, und ›Kino‹ wird ohne ›G‹ oder
›h‹ geschrieben. Gestatte mir nur eine generelle An-
merkung: Wäre es möglich, daß Du irgend etwas Gutes
über Berlin in den Text einarbeitest? Viele Grüße, Tho-
mas«.

Fassungslos ließ ich den Brief sinken. Was war los?
Hatte er ein anderes Buch gelesen? Schließlich hatte ich
doch eine Eloge auf Berlin geschrieben, eine Liebes-

erklärung, die der Stadt die Schamesröte ins Gesicht treiben müßte. Da wurde mir klar: Der Verlag ist in München! Ich ging den Text nochmals durch, versuchte ihn mit den Augen eines Münchners zu lesen und begann zu verstehen, wo es Mißverständnisse geben könnte.

Seit ich wußte, daß ich diese Gebrauchsanweisung schreiben durfte, habe ich unzählige Bücher über Berlin gelesen. Die besten beschrieben Armut, Kriminalität und den frechen Umgangston in der Stadt. Solange es um reine Fakten, Jahreszahlen und Namen ging, blieb es sachlich, sobald Kommentare gestattet waren, wurde der Ton rauh. Ich sprach mit unzähligen Berlinern und fragte, was sie in einer solchen Gebrauchsanweisung suchen würden. »Ja, du mußt die ›Fettluke‹ empfehlen, da gibt es die mit Sicherheit widerlichsten Würste der Welt.« »Schreib' unbedingt über die Hundescheiße-Staubsauger, so blöd ist man sonst nirgendwo.«

Mir ist noch kein Berliner untergekommen, der im herkömmlichen Sinne positiv von der Stadt spricht. Im Prenzlauer Berg kann man nicht mehr wohnen, weil da alles nur noch Schickimicki ist. In Weißensee kann man nicht mehr wohnen, weil es da keine vernünftigen Geschäfte gibt. In Schöneberg kann man nicht mehr wohnen, weil es da auch nur noch bergab geht. Das Bier ist zu warm, der Kaffee zu kalt, die Buletten nur bröselig. Die Spree ist dreckig. Der Senat hat keine Ahnung. Und so weiter.

Aber fragen Sie mal einen Berliner, der gerade so richtig über seine Heimatstadt herzieht, warum er denn dann nicht woanders hinzieht. Er wird Sie entgeistert ansehen. Er wird Sie fragen, was *das* denn nun soll. Er wird Ihnen vielleicht sogar Gewalt androhen. All das

Meckern und Motzen hat doch nichts damit zu tun, daß man etwa Berlin nicht mag. Das genaue Gegenteil ist der Fall.

Die Geliebte will man für sich behalten, mit niemandem teilen. Seine Geliebte bietet man doch nicht jedem Dahergelaufenen an. Da könnten ja die falschen Leute auf die richtigen Gedanken kommen.

Wenn ich meine Stammkneipe betrete, ruft mir der Wirt freundlich zu: »Du siehst heute aber beschissen aus!« »Immer noch besser als du«, erwidere ich seine Zuneigung und setze mich zu ihm. Mein Bier kommt ohne weitere Worte. Nirgendwo anders will ich sein.

Weitere zugelassene Hilfsmittel

(Notwendigerweise eine hanebüchen beliebige, schamlos subjektive und unvertretbar lückenhafte Auswahl)

»*Berlin-Alexanderplatz. Die Geschichte von Franz Biberkopf*« von Alfred Döblin (Suhrkamp 2002)
Großartiger Roman von einem zugezogenen Berliner Nervenarzt, der Zeit und Stimmung der letzten Jahre vor der Nazizeit meisterhaft beschreibt. (Auch großartiger Film von Fassbinder)

»*Chronik der Sperlingsgasse*« von Wilhelm Raabe (Reclam 1997)
Beweis aus dem Jahr 1856, daß man an einer Berliner Straße die ganze Welt zeigen kann. Immerhin wurde nach dem Buch die beschriebene Spreegasse 1931 in Sperlingsgasse umbenannt, die man noch heute besichtigen kann.

»*Ich trug den gelben Stern*« von Inge Deutschkron (dtv 1985)
Die Schilderung eines jüdischen Überlebens in Berlin und vom Ende einer Epoche.

»Wedding« von Horst Evers (Fahner 2006)
Ein Klassiker über eine der zahlreichen Perlen unter Berlins Stadtbezirken.

»Herr Lehmann« von Sven Regener (Goldmann 2003)
Großartige Beschreibung der letzten Jahre des alten Kreuzbergs.

»Junge Talente« von André Kubicek (Rowohlt 2003)
Großartige Beschreibung der letzten Jahre des alten Prenzlauer Bergs.

»Russendisko« von Wladimir Kaminer (Goldmann 2002)
Eine wunderbare Beschreibung des Durcheinanders der letzten Monate der DDR, des neuen Prenzlauer Bergs und der neuen russischen Mitbürger.

»Nicht jeder Puff hat Pfeffer und Salz« von Andreas Wenderoth (Picus 2001)
Kleine, äußerst feine Berichte von den Berlinern, die sonst nicht in der Zeitung stehen.

»Ich bin der Roman« von Robert Weber (voland & quist 2005)
Eine wilde Reise durch die durchsoffenen Nächte Berlins von einem echten Experten.

»Berliner populäre Irrtümer« von Volker Wieprecht und Robert Skuppin (Berlin Edition 2005)
Sehr gut recherchiertes Buch von zwei der beliebtesten Radiomoderatoren der Stadt, das mit den wichtigsten Berliner Mythen aufräumt und ein paar interessante neue Mythen in Umlauf bringt. Unverzichtbar für jeden, der ein Berliner Besserwisser werden möchte.

»Amokanrufbeantworter« von Daniela Böhle (Satyr Verlag 2005)
Die Frau, die der Berliner Unhöflichkeit ihre Maske vom Gesicht gerissen hat, berichtet vom Besten aus ihrem Leben, seit sie aus dem Rheinland nach Berlin gezogen ist.

»Hähnchen leider« von Ulli Hannemann (Satyr Verlag 2005)
Interessante Beobachtungen vom Rande eines der randständigsten Bezirke Berlins.

»Sie nannten ihn Didi und Stulle« von Fil (reprodukt 2000)
Dieter Kolenda und Andreas Stullkowski erobern die Welt von ihrer Wurstbude aus. Der Autor, ein Kind des Märkischen Viertels, bringt echtes Berlinisch zu Papier und erteilt jeglichem Einbürgerungsbegehren von Nichtberlinern eine vehemente Absage.

»Der BFC war schuld am Mauerbau« von Andreas Gläser (Aufbau 2002)
Hier wird mit Expertise und viel Berliner Witz alles Wesentliche über den DDR-Rekordmeister sowie das Leben arbeitsunwilliger Maurer erzählt.

»Und niemals vergessen – Eisern Union!« von Jörn Luther und Frank Willmann (basisdruck 2001)
Hier wird das Schicksal des BFC-Erzgegners und legendären Underdogs des DDR-Fußballs berichtet.

»Nur nach Hause geh'n wir nicht« von Michael Jahn (Die Werkstatt 2006)
Und natürlich gibt es auch schöne und exzellent recherchierte Bücher wie dieses über *den* Fußballclub aus Westberlin.

CD

»Na Du alte Kackbratze« von Kurt Krömer (Universal 2005)
Der weltweit beliebteste Neuköllner gibt Einblicke in sein hauptgeschultes Denken.

Filme

»Eins, zwei, drei« von Billy Wilder (1961)
Der geniale Billy Wilder kam nach seiner Emigration 1933 zurück nach Berlin, um hier eine abgedrehte Komödie abzudrehen.

»Die Legende von Paul und Paula« von Heiner Carow (1973)
Der legendärste DEFA-Film über die Suche zweier Menschen nach dem Glück spielt natürlich in den einstürzenden Altbauten von Berlin.

»Linie 1« von Reinhard Hauff und Volker Ludwig (1988)
Berlin-Musical aus dem Untergrund, dessentwegen die Umbenennung einer U-Bahn-Linie verhindert wurde. Enthält viele Lieder und klassische Sätze wie: »Enrico, komm von die Tante weg. Schokolade hamwa selba.«

»Drei Drachen vom Grill I–III« von Teufelsberg Produktion (1992)
Eine Verneigung vor »Drei Damen vom Grill«, einer der beliebtesten Fernsehserien der Stadt, und gleichzeitig ein komischer Einblick in Berlins Schwulenszene.

»Das Leben ist eine Baustelle« von Wolfgang Becker (1997) und

»Sommer vorm Balkon« von Andreas Dresen (2005)
Echte Berlin-Filme, in denen die Stadt nicht nur als folkloristischer Hintergrund oder neue Kulisse für reiche Wohlstandskinder vorkommt.

Bereits erschienen:
Gebrauchsanweisung für...

01/0002/09/L

PIPER

Stefan Beuse
Gebrauchsanweisung
für Hamburg

169 Seiten. Gebunden

Wer mit dem Auto nach Hamburg will und es nicht besser
weiß, fährt durch den Elbtunnel. Und zwar ganz langsam.
Weil's so schön ist ...
Am Ende des Tunnels jedenfalls, wartet eine ganz neue Welt
auf den Besucher. Eine Welt aus Wasser, Wind und
Barbourjacken, aus rotem Backstein und prunkvollen
Villen, aus Business-Tempeln und dem Geruch von Teer und
Fisch. Nach dem Elbtunnel sollten Sie sich anschnallen:
Vergessen Sie alles, was Sie je über Seefahrerromantik
gehört haben. Über die Reeperbahn nachts um halb eins.
Über die Beatles im Starclub. Über blaue Jungs und
Hamburger Deerns. Hamburg ist anders. Ganz anders. Und
Stefan Beuse weiß warum. Er wird Ihnen erklären, warum
es so schwer ist, den Aal in der berühmten Aalsuppe zu fin-
den, warum der Hamburger im Grunde seines Herzens
schon immer ein Brite gewesen ist und warum man sich die
schöne »Strandperle« nicht um den Hals hängen kann.

01/1011/02/L

PIPER

Maxim Gorski

Gebrauchsanweisung für Deutschland

176 Seiten. Gebunden

»Du sein ganz falsch hier. Nächste Ampel du rechts fahren.«
Das etwas andere Buch über unser Land der Dichter und
Denker, satirisch und augenzwinkernd geschrieben: Der russische Journalist Maxim Gorski gibt unentbehrliche Tips,
wie den Deutschen, diesem eigentümlich wiedervereinten
Volk von ADAC-Mitgliedern, zu begegnen ist. Egal, ob als
Heimat, Reiseziel oder als Phänomen, ob für Einheimische
oder Fremde – durch Gorskis ganz spezielle Sicht enträt-
seln sich viele Geheimnisse: zum Beispiel die der Schnitzelkar-
ten, des Smog-Alarms und der Liebe zu den Haustieren, der
Ordnungssucht und des typisch deutschen Humors, der Tem-
polimits, Gartenzwerge und des Lokalpatriotismus, der
Fußgängerzonen mit ihrem nicht tot zu kriegenden Sommer-
schlußverkauf und der deutschen Küche zwischen Döner
Kebab, Sushi und latte macchiato.

01/1290/02/R